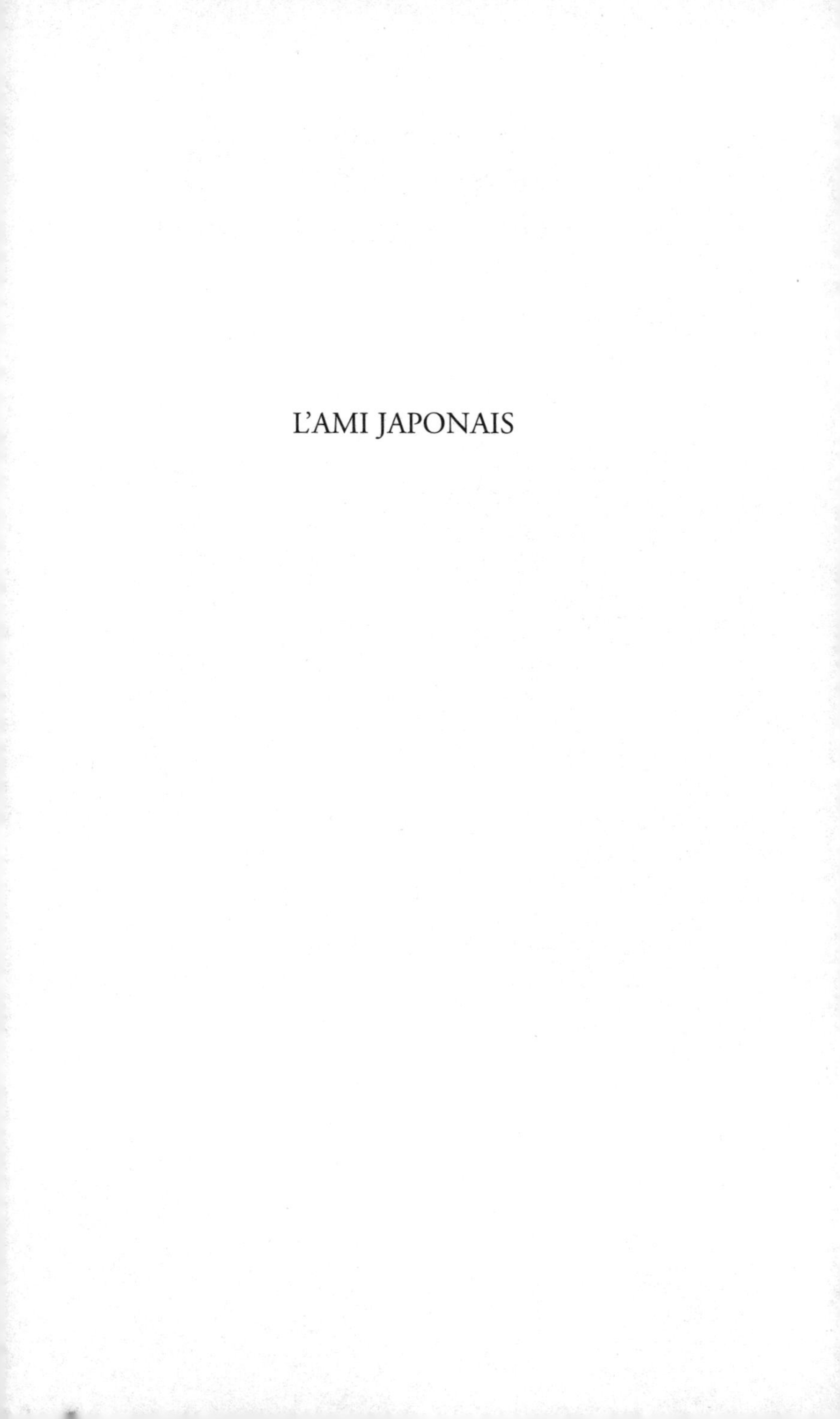

# L'AMI JAPONAIS

*La rencontre*
Dirigée par Anne Bourguignon

*La rencontre est une histoire qui nous appartient.*

Marc Petitjean

# L'AMI JAPONAIS

*Kunihiko Moriguchi,*
*Trésor vivant, peintre de kimonos*

*arléa*
16, rue de l'Odéon, 75006 Paris
www.arlea.fr

DU MÊME AUTEUR

*Métro Rambuteau*, Hazan, Centre Georges-Pompidou, 1997.

*De Hiroshima à Fukushima*, Albin Michel, 2015.

*Le Cœur, Frida Kahlo à Paris*, Arléa, 2018.

ISSN 2491-8261
EAN 9782363082220

*À Freydelyne et Keiko*

# La rencontre

Le taxi me déposa à la nuit tombée devant l'entrée de l'hôtel Okura, un palace situé dans le quartier des ambassades à Tokyo. Un ami parisien m'avait mis en contact avec son « frère japonais ». C'était notre première rencontre. En traversant le lobby pour rejoindre le bar, je fus saisi par l'harmonie qui se dégageait des espaces et des matériaux de ce lieu qui datait des années 1960 : un mélange de modernité et de tradition. Des gouttes lumineuses ciselées pendaient du plafond, des fauteuils étaient disposés en pétales autour de tables rondes sur une moquette à grands damiers aux couleurs chaudes. Les murs étaient revêtus de bois blond et la vue sur l'extérieur estompée par des écrans de papier. Je voyais à distance le personnel féminin, vêtu de kimonos pastel, se déplacer avec élégance. L'Orchid Bar était un lieu feutré, de style anglais. Kunihiko

Moriguchi est venu à ma rencontre avec un grand sourire « Ah, Marc ! » Nous avons pris place dans les fauteuils en cuir noir de part et d'autre de la table en cuivre martelé et commandé un whisky.

Il était plus fin que je ne l'avais imaginé, vif, avec un sourire chaleureux et un beau visage. Il s'exprimait dans un français impeccable, qu'il avait appris dans les années 1960 à Paris, sans avoir eu l'occasion de le perfectionner par la suite, regrettait-il. Nous avons trinqué à notre ami commun et à notre attirance réciproque, lui pour la France et moi pour le Japon.

Mon premier séjour avait eu lieu deux ans auparavant à l'occasion du tournage d'un film documentaire sur le docteur Hida, un survivant de la bombe d'Hiroshima, un homme engagé et charismatique qui avait consacré sa vie à soigner les survivants, blessés et irradiés – et que je considérais comme un héros moderne, ayant su concilier communisme et bouddhisme.

Moriguchi m'a alors parlé de la culture japonaise, de sa conception de l'art, entrouvrant une porte sur une société que je connaissais peu, puisque je l'avais découverte à travers le prisme très particulier des bombes atomiques. Au moment de prendre congé, quelque chose m'a arrêté. J'ai ressenti ce sentiment mystérieux qui naît de toutes les vraies rencontres.

Je lui ai dit, comme on jette une bouteille à la mer, que j'aimerais bien, un jour, si l'occasion s'en présentait, réaliser un film sur lui et ses kimonos. L'idée lui a plu. Elle aurait pu aussi bien se dissiper comme neige au soleil.

De retour à mon hôtel, j'ai feuilleté le catalogue de kimonos qu'il avait peints. Je m'attendais à des motifs traditionnels, branches de cerisiers, vagues, pagodes. Au lieu de cela je découvrais des motifs géométriques avec des dégradés de couleurs qui sublimaient la notion même de kimono.

Il m'avait laissé un dépliant sur l'hôtel Okura, précisant qu'il aimait beaucoup ce lieu. Les architectes Yoshiro Taniguchi et Hideo Kosaka avaient associé architecture moderniste et savoir-faire multiséculaire des artisans japonais. Moriguchi se réclamait de cette sensibilité. L'hôtel Okura a été détruit en 2015 pour faire place à une tour de trente-huit étages, emportant les souvenirs de ses illustres hôtes : Yoko Ono et John Lennon, Madonna, Herbert von Karajan, Barack Obama, Jacques Chirac et tant d'autres. Les nostalgiques pourront toujours revoir *On ne vit que deux fois*, un James Bond qui utilisa l'hôtel comme décor en 1966.

À Tokyo, les immeubles sont couramment rasés et reconstruits après vingt ou trente années de service, il est vrai. En ce sens Tokyo n'est pas une ville de mémoire mais une ville de devenir.

Au Japon, la mémoire semble incarnée par les hommes plus que par leurs monuments. Le pays étant exposé de manière chronique aux tremblements de terre, tsunamis, incendies, éruptions volcaniques et typhons, les Japonais ont conscience que maisons, villes et paysages peuvent subir des dommages ou disparaître du jour au lendemain. En revanche les hommes qui survivent peuvent transmettre leurs savoirs de génération en génération afin, par exemple, de reconstruire les habitations selon la culture japonaise ancestrale. Ainsi l'usage et les pratiques traditionnelles de l'architecture, de l'art, du théâtre, des artisanats ont été maintenus, transmis et renouvelés durant des siècles et jusqu'à aujourd'hui.

Kunihiko Moriguchi, *Topologie – carrés*, 2006

Disposition en trompe-l'œil de motifs carrés évoquant les papiers carrés (*shikishi*) utilisés pour la calligraphie de poèmes ou de dessins.

En 1950, tournant le dos à la guerre, à un passé colonial désastreux, et en réaction à l'horreur causée par les bombes de Hiroshima et Nagasaki, l'État japonais avait décidé de faire de la culture une valeur supérieure de la nouvelle société à bâtir. C'est dans ce contexte qu'a émergé la désignation de « Trésor national vivant », qui distingue des artistes gardiens de biens culturels intangibles importants. Kunihiko Moriguchi a reçu cette distinction de Trésor national vivant en qualité de peintre de kimonos (dans la tradition dite *yuzen* de Miyazaki Yuzen de la période Edo), devenant ainsi un « monument humain ».

Une chose me tarabustait : les motifs abstraits des kimonos de Moriguchi étaient à des années-lumière de ceux que je connaissais et qui représentaient la tradition à laquelle la notion de Trésor vivant semblait vouloir se référer. Comment les commissaires d'une notion séculaire de la culture japonaise justifiaient-ils de faire cohabiter tradition et modernité, culture occidentale et culture japonaise ? De son côté, comment Moriguchi avait-il trouvé sa place dans ces deux univers ?

# L'autre

Quatre ans après cette première rencontre à l'hôtel Okura, je m'étais retrouvé un beau matin de janvier devant la maison de Kunihiko Moriguchi avec ma caméra, prêt à investir les lieux. Nous étions convenus que je pourrais tout filmer durant les trois mois de mon séjour à Kyoto. Il m'ouvrait grand la porte et s'engageait à me faire découvrir et aimer la culture japonaise. Il me répétait souvent avec un sourire espiègle : « On est très différents, mais on peut quand même se parler et essayer de se rapprocher. »

Après le nouvel an, il m'avait convié à une cérémonie du thé, organisée par la fondation Matsushita. La cérémonie du thé est à l'origine un art traditionnel inspiré par le bouddhisme zen. Au cours de ce rituel long et codifié, les participants sont censés se libérer de leur univers personnel afin de partager une expérience esthétique. La Villa s'appelle Shinshin-An, qui signifie « Vérité de la Vérité ». Le parc s'offrait à la vue devant le bâtiment moderne, sombre et dissimulé. Des jardiniers, accroupis et silencieux, ramassaient une à une les aiguilles de pin qui jonchaient le sol et confectionnaient en les assemblant patiemment côte à côte des bordures pour protéger les mousses de la rigueur de l'hiver. Cette attention modeste et appliquée pour la nature m'avait touché et incité à regarder en profondeur ce trésor dont ils prenaient un soin si parfait. Je me suis laissé envahir par la sensation que dégageait le lieu. Le brun-orangé des aiguilles de pin entrait en dialogue avec les différents verts des mousses et les gris des pierres. Au loin, derrière les jardiniers, le paysage était composé des arbres du parc de diverses essences, disposés en perspective étagée jusqu'à se fondre dans la montagne boisée d'Higashiyama. La découverte du jardin était un préambule à la cérémonie du thé. En plus de la composition panoramique spectaculaire offerte au visiteur lorsqu'il pénétrait dans le parc, les concepteurs avaient imaginé une promenade scénarisée afin de nous faire découvrir de nouveaux espaces par différents chemins. Les éléments du jardin étaient cachés, puis dévoilés au fil de la déambulation, au détour d'un arbre, d'un buisson, d'une butée de terre, d'un petit pont en bois.

Jardin de la Villa Shinshin-An

J'avais en progressant la sensation que le paysage changeait, offrant toutes sortes de thèmes végétaux et architecturaux nouveaux : mousses et plans d'eau, arbres sauvages et taillés, jardin sec de sable méthodiquement ratissé et parsemé de pins, sculptures, petit pavillon de thé. Au terme de ces parcours se trouvait un sanctuaire shinto, réplique miniature du temple Jingu d'Ise que Matsushita avait fait construire pour exprimer gratitude et respect envers « l'origine et la puissance suprême de l'Univers». C'est là que le milliardaire venait se recueillir avant de prendre une décision importante pour l'avenir de son entreprise.

Nous étions une dizaine d'hommes en costume sombre à avoir pris place en demi-cercle face à M. Tokuda, le maître de cérémonie, guidé par une femme en kimono vert clair. Le ton était détendu et cordial. Il nous a encouragés à déguster la pâtisserie de bienvenue de chez Tsuruya Yoshinobu et ce avec les doigts, sans manières. Et puis Tokuda a présenté des poteries anciennes, bols et pots que chacun à son tour a pris délicatement dans les mains avec des expressions d'émerveillement, observant les moindres détails en connaisseur. Des «oh», «ah», et autres onomatopées – plus japonaises – accompagnaient la découverte de ces objets, dont je ne percevais pas la beauté. Kunihiko Moriguchi me traduisait à l'oreille les commentaires des amateurs au moment où ils passaient les objets à leurs voisins : «On l'apprécie mieux au toucher, avec son aspect rugueux, qu'en l'observant», disait l'un. «Ce bol me fascine par sa forme, j'y vois le mont Fuji et la lune», disait un autre. Ou encore : «C'est une calebasse ou un lapin qu'on discerne là ?» Ils voyaient des choses formidables qui les faisaient voyager alors que moi je ne voyais rien.

Pour me consoler je ressassais avec un sourire intérieur une pensée de Claude Lévi-Strauss : Les cultures sont par nature incommensurables.

M. Tokuda avait ensuite présenté les ustensiles utilisés pour la cérémonie : « Le chaudron – *Shin narigama* – a été réalisé par maître Ikke, la carafe par Sokuzen Sakimibukuro, qui fut le maître d'Eiraku. La boîte à thé a été dessinée par Gengensai de Urasenke et la cuillère par Tantansai… J'ai un trou de mémoire sur le titre de l'œuvre… Ah, oui, elle s'appelle Yukei. *Yukei* signifie avoir de la joie, a repris avec légèreté la femme en kimono. C'est mon professeur et je suis un mauvais élève. – Pas du tout, il est en troisième année d'apprentissage et c'est une bonne expérience pour lui de faire une présentation devant son professeur. – J'ai la trouille, car j'ai l'impression de tout oublier », conclut-il en riant.

On nous a servi du thé dans des bols tout aussi merveilleux et j'ai fait pivoter le mien, avec le pouce à l'intérieur, jusqu'à faire apparaître le motif devant – comme on me l'avait appris – avant de le porter à mes lèvres pour y boire la mousse verte et tiède du matcha. M. Tokuda a expliqué qu'il avait choisi pour nous les bols qu'appréciait M. Matsushita en espérant que nous pourrions avec lui ressentir l'âme des formes et des matières qui évoquent un au-delà de l'histoire. Des jeunes femmes en kimono ont déposé avec élégance des plateaux chargés de mets exquis et nous ont servi du saké à volonté. Moriguchi me traduisait les discussions en cours : « On considère au Japon que le noir et blanc sont les couleurs du deuil, mais ce sont les entreprises funéraires qui ont inventé ça. En réalité, noir et blanc sont les couleurs du bonheur. Le deuil est une affaire de bonheur parce que quand on meurt on se réincarne en Bouddha. Le noir et le blanc sont la base de tout. »

J'avais de quoi méditer.

Kônosuke Matsushita était le légendaire fondateur de Panasonic, la première grande entreprise d'électronique japonaise. Il avait su allier rigueur morale et puissance technologique pour conquérir les marchés japonais et internationaux. Parallèlement, il avait défendu et subventionné la conservation, l'exposition et la survie des artisanats d'art au Japon. Je voyais avec Matsushita cohabiter une nouvelle fois modernité et tradition, et je découvrais que les Japonais pouvaient se laisser aller comme des enfants et s'extasier devant une poterie ancienne que je trouvais quelconque. Plus tard Moriguchi m'expliqua que les bols en question étaient des « phénomènes » de l'histoire de la poterie et qu'ils avaient une valeur inestimable. Certains invités tenaient les bols au-dessus d'un coussin posé sur le sol, au cas où ils le laisseraient tomber par maladresse ou par crainte d'un débordement émotionnel.

Pour contourner les lois somptuaires qui interdisaient l'exposition d'objets coûteux, les objets rares ou précieux avaient été bannis au profit d'objets banals, bon marché, issus de la vie quotidienne, faits à la main et comportant des imperfections. Kunihiko avait été très attentif à ce que je comprenne ce qui se déroulait. Peut-être pensait-il que, si je ne parvenais pas à apprécier ce que je voyais ce jour-là, la cause serait perdue, et je serais incapable d'aller plus loin dans ma découverte de sa culture.

# Enfances

Kunihiko Moriguchi est né à Kyoto en 1941. Son père, Kakô, peintre de kimonos, subit les restrictions imposées à la population par les militaires et cesse de travailler à l'atelier. Les fournisseurs de tissus sont requis pour participer à la fabrication de faux avions, en bois et tissus, pour tromper les aviateurs américains. Kakô, jugé trop petit pour devenir soldat, doit exécuter des dessins techniques, élévations, coupes pour la fabrication de canons. Le soir, il rapportait du travail à la maison, et Kunihiko se souvient de grands rouleaux de papier, de compas allemands, d'équerres et de règles.

Vers la fin de la guerre, la vie quotidienne est terrible. Les gens ne trouvent plus à se nourrir et la victoire alliée semble inéluctable. Les bombardements américains s'intensifient dans tout le pays et l'épaisse table basse à dessin de Kakô, sur laquelle il travaille habituellement, sert de toit à l'abri creusé dans le jardin pour protéger la famille. Les alarmes retentissent à tout bout de champ et Moriguchi passe des nuits entières dans cet abri où il se blottit avec une casserole de riz aqueux auprès de sa mère et de son frère, les yeux grands ouverts, dans l'anxiété d'une explosion ou de maux d'estomac.

Kunihiko Moriguchi à l'âge de 12 ans

Il se souvient vaguement d'hommes abattant les maisons en bois au bout de sa rue en tirant sur des cordes arrimées au faîtage. L'espace libéré avenue Oike servait de coupe-feu et permettait aux militaires de faire atterrir leurs avions. La maison familiale, située près du château Nijô, risquant d'être détruite à tout moment, ils se sont installés à Fushimi, en banlieue. Le jeune Moriguchi y découvre une autre vie, plus proche de la nature. « C'était l'époque des pantalons courts, me raconte-t-il, j'avais les genoux écorchés, des socques de bois ou des sandales de paille. Je pêchais dans les rivières, j'attrapais des grenouilles, des écrevisses, et je capturais les insectes. Un jour, j'ai rempli ma casquette d'écolier de chenilles. Je les avais ramassées dans un champ de choux à côté de la maison à la plus grande joie du paysan mais pas de ma mère, car elle détestait les insectes qu'elle trouvait dégoûtants. Je les ai nourries avec des trognons de choux. Et un jour j'ai trouvé l'intérieur de la cage empli de jaune : elles s'étaient métamorphosées en papillons. »

Sa tante possédait un atelier de couture à proximité des casernes du 37$^{e}$ régiment de l'armée de terre. Jusqu'en 1945 elle a travaillé pour l'armée japonaise et, après la défaite du Japon, ses nouveaux clients ont été les officiers de l'armée américaine d'occupation. En 1946, Kunihiko entre à l'école maternelle. Il passe tous les jours devant la maison de sa tante et s'attarde chez elle sur le chemin du retour. Elle se prend d'affection pour lui et propose même à ses parents de l'adopter. Chez elle, il mène la belle vie, rencontre des soldats américains, mange du corned-beef et du chocolat Hershey's. « À l'âge de six ans, j'ai découvert qu'il y avait des Noirs, des Beiges, des Blancs, des Roux et aussi des langues que je ne comprenais pas. Une autre chose m'a marqué à l'école. Quand j'avais sept ans, en tant que chef de classe, j'ai eu pour obligation de m'occuper d'une petite fille mentalement handicapée, de la faire lire, jouer, de s'habiller. Aujourd'hui on sépare les handicapés des autres et ce n'est pas bien. J'ai eu une éducation dans la pauvreté mais j'ai appris des choses : il y a des personnes handicapées, il y a des gens qui parlent une autre langue. Je suis devenu très tôt un Japonais différent, assez ouvert sur le monde. »

Profitant de la clientèle de sa belle-sœur tailleuse, Kakô crée un atelier où il confectionne des petits carrés en soie sur lesquels il dessine des fleurs, des cerisiers, des paysages destinés à être brodés. Il reçoit par la suite des commandes d'écussons militaires et de motifs de broderie pour les blousons en soie bleue de l'armée sur lesquels il dessine « US ARMY » ou en grand « l'aigle des USA », activité qui permettait de survivre dans une période de grande pauvreté.

Les Américains n'ont pas laissé que de belles images dans la mémoire de Kunihiko. Pour s'approprier les maisons bourgeoises de Kyoto, ils peignaient une bande blanche de dix centimètres autour de l'une d'elles choisie sans autres commentaires. Cela signifiait que les propriétaires devaient partir immédiatement. Alors les officiers arrivaient et prenaient possession des lieux en y installant leurs maîtresses japonaises, sous la protection de la police militaire.

Après guerre le changement de mentalité fut rude. Depuis toujours l'empereur était considéré comme un dieu ; après la défaite il était devenu un homme et le symbole de l'unité du pays. « Pour l'instituteur qui devait enseigner aux mêmes élèves des choses si contradictoires d'un jour à l'autre, c'était vraiment compliqué. Je me souviens que l'instituteur de ma classe de première année s'est suicidé ; je crois que c'était à la saison des pluies. »

À partir de 1951, avec la guerre de Corée, les mines de charbon du nord de l'île de Kyûshû et les haut-fourneaux tournent à fond pour l'armée américaine. Les exploitants s'enrichissent rapidement et deviennent les nouveaux acheteurs des luxueux kimonos peints selon la technique yuzen pratiquée par Kakô Moriguchi. Les commandes se multiplient et la situation devenant plus favorable, il parvient à acheter une maison en 1952. C'est le grossiste de kimonos qui avance l'argent : un million de yens à rembourser avec ses créations. La maison, qui date de 1911, se trouve dans le quartier des tissus et teintures où ils habitaient avant guerre. Le secteur situé à proximité du château Nijô est formé de rues qui se croisent perpendiculairement, et chaque bloc fait à peu près cinquante mètres. Dans ces rues, les maisons ont des façades étroites, mais sont assez profondes, d'où la dénomination de « lit d'anguilles ». Il semblerait que la taxation des maisons dépendait de la largeur de la façade. On dit aussi que le centre de Kyoto était souvent un champ de bataille et que, quand un guerrier victorieux passait et voyait une belle maison, il la réquisitionnait. Pour faire profil bas, les gens vivaient dans ces maisons longues et étroites, avec des jardins à l'arrière. Cette tradition se perpétue.

Lors de ma première visite de la maison familiale, Kunihiko avait décrit l'âme vivante de ce lieu où il a déjà vécu près de soixante années. « La maison japonaise est faite avec du bois, du bambou, de la terre, du papier et de la paille pour le tatami. Presque tous les ans, il faut renouveler la plupart des matériaux et, tous les dix ans, nous modifions légèrement la structure. Et au bout de vingt ans, nous réaménageons la maison de manière à l'adapter aux nouveaux modes de vie. Ainsi l'habitat change avec la pensée de la vie. »

Le vaste atelier au premier étage est bas de plafond et couvert de tatamis. La lumière du jour n'y pénètre pas et les tables basses sur lesquelles travaillent les artisans sont éclairées par des lampes qui pendent du plafond. Du temps de Kakô, il pouvait y avoir jusqu'à quinze employés. Aujourd'hui, un seul. Au sol, les pièces d'un kimono démonté ont été tendues sur de légers cadres de bambou. Les motifs géométriques rouges avec leurs dégradés de couleur laissent imaginer la complexité de la conception. Aux murs, pinceaux et brosses sont disposés comme des tableaux.

Lorsque j'ai entrepris de filmer l'atelier j'ai demandé à Kuni – diminutif affectueux de Kunihiko – de ne pas s'occuper de moi. J'avais l'intention de filmer ce que je voyais comme je le voyais, sans mise en scène ni commentaire. Je voulais restituer les différents gestes et actions dans leur durée. La première difficulté était de trouver ma place dans l'atelier avec la caméra, au plus près de lui mais en respectant son espace, ce que j'appelais « sa bulle ». Dans la phase de préparation, après avoir conçu les motifs sur des feuilles de papier, il les reportait sur le kimono, grandeur nature avec leurs enchaînements en dégradés géométriques. Il était assis sur un tatami dans un angle de l'atelier, le kimono étalé sur une large table basse en bois. La soie du kimono, souple et épaisse, ne semblait pas être un support aisé pour un tracé. Et comment s'y retrouvait-il entre toutes ces lignes, ces dégradés géométriques ? C'était un mystère. Toujours est-il que j'avais décidé de filmer cette étape et, pour voir avec ses yeux, je devais me placer au-dessus de son épaule et zoomer sur la zone où il dessinait. J'avais alors un cadre de dix centimètres de base, ce qui est techniquement assez délicat car il ne faut pas bouger pour conserver la mise au point. On utilise habituellement un trépied pour ce type de prise de vue. Par chance pourrais-je dire, je n'en avais pas, ce qui m'obligeait à une concentration maximum. La caméra sur l'épaule, je m'arrêtais de respirer pour ne pas bouger pendant les prises de vue. J'ai fait tous ces tournages en apnée, utilisant mon corps comme un axe que je faisais basculer légèrement pour retrouver la mise au point quand je la perdais. Kuni, lui, traçait les lignes parallèles pratiquement à main levée, avec des gestes précis et en soufflant légèrement au terme d'une action. Je m'attendais à ce qu'il fasse une erreur mais il n'en fit pas. J'étais captivé et cela durait, si bien que j'avais le sentiment de capturer l'essence d'un tel tracé. Nous étions tous les deux dans « sa bulle », lui traçant, moi obnubilé par la crainte de perdre la netteté de l'image. Nous avons vécu ces premiers moments de partage d'un même espace autour d'un même objet en parfaite harmonie. Nous n'en avons jamais parlé mais je crois que ce jour-là nous avons eu la preuve du bien-fondé de notre projet. Rien n'était donné, il fallait expérimenter et se lancer dans l'aventure.

Enfant, comme il était d'usage, Kunihiko participait à la vie de l'atelier, et, après l'école, achetait le papier et des encres. Une manière de soulager les disciples pour qu'ils assistent pleinement le maître. Il aimait particulièrement apporter les tissus chez les brodeurs. « Je découvrais un autre univers, très propre. Il n'y avait pas de peinture, pas d'eau, les tissus et les fils colorés étaient beaux. Je passais du temps à regarder : une dame restaurait les tissus à la vapeur. Une autre me donnait du thé, des gâteaux. J'étais dans le système. C'est là que mon initiation a commencé. Mon premier contact avec le yuzen, cette technique de teinture, était dans ma famille, c'était la vie même. »

Après l'école il restait la plupart du temps dans l'atelier à voir disciples et arpettes s'activer autour de son père, observant les gestes, les mains, qui exécutaient des prouesses d'habileté, et le résultat, des semaines plus tard, quand le grossiste venait chercher les kimonos peints disposés sur des présentoirs. « J'ai passé beaucoup de temps à regarder et ça m'a servi plus tard parce que je savais déjà tout ce qu'il fallait faire, tout était filmé dans ma tête, quand j'étais petit. J'aimais beaucoup ce que faisait mon père, c'était très original et si différent des autres. »

Vers l'âge de douze ans, Kunihiko a ressenti un mal-être quand un disciple de son père, à peine plus âgé que lui, est venu s'installer avec eux, bientôt rejoint par deux autres. Pour la vieille école à laquelle appartenait son père, être disciple ne signifiait pas apprendre un métier, mais bien vivre avec le maître, nettoyer la maison, accomplir pour la famille toutes sortes de tâches ingrates, se taire, obéir. « On vivait, on mangeait, on travaillait, on dormait tous ensemble ; il n'y avait pas de repos. » Le jeune

Kunihiko ne supportait pas la discrimination à l'égard des disciples. « Le matin je partais à l'école pendant qu'ils nettoyaient la maison. Au Japon, on nettoie aussi quand c'est propre, pour être bien sûr que ça ne puisse pas être sale. Ensuite ils mangeaient un bol de riz et de la soupe avec une bonne dans la cuisine. Les artisans qui travaillaient avec mon père arrivaient et il fallait leur apporter du thé chaud. Être apprenti, c'était être esclave. Ils n'avaient aucun temps pour eux et n'étaient pas payés. Petit à petit, ils sont autorisés à apporter leur aide pour les kimonos. Puis deviennent responsables d'un détail. Ensuite ils ont une table et peuvent s'entraîner. Au bout de cinq ans, avec beaucoup de chance et d'ingéniosité, un apprenti peut avoir l'opportunité de faire une pièce. »

Ne parvenant pas à parler ouvertement à son père de ce qui le tourmentait, Kuni s'était résigné à accepter la situation. « Les apprentis et nous ne mangions pas la même chose. Ils travaillaient sans arrêt. Nous n'étions pas égaux et ça me gênait. Certaines familles chez qui j'allais étaient bien plus démocratiques, le disciple était bien traité. Moi je voulais ça. Mais mon père était très conservateur et il ne pouvait pas changer. »

La seule issue pour Kunihiko fut de quitter la maison dès que possible. Il était bien conscient que son désir traduisait le rejet d'une tradition incarnée par son père. À ce ressentiment s'ajoutaient d'autres aspects du mode de vie traditionnel qui l'insupportaient et qu'il jugeait archaïques. Le nettoyage des toilettes, par exemple : deux fois par mois des paysans apportaient des fruits et légumes. En échange, ils vidangeaient la fosse d'aisance et utilisaient le contenu comme engrais naturel. Kunihiko se souvenait de la charrette à bras peinte en bleu sur laquelle des tonneaux en bois étaient arrimés et des paysans vidant la fosse avec de grandes louches. La puanteur occasionnée était tellement insupportable qu'il en éprouvait de la honte. La guerre avait laissé des traumatismes qui rendaient le quotidien pesant. Kunihiko voyait la pauvreté et la résignation des gens autour de lui, et n'espérait rien.

Après guerre, la mairie de Kyoto était passée aux mains des communistes, ainsi que les syndicats d'enseignants. Les parents de Moriguchi voulaient que leurs enfants fassent des études supérieures. Comme on les avait convaincus que le public ne valait rien, ils les avaient inscrits dans un lycée privé protestant. À l'âge de quinze ans, Kunihiko avait annoncé son désir d'être artiste peintre. Afin de préparer son entrée aux Beaux-Arts, Kakô l'avait confié à un peintre reconnu, Inshô Dômoto. Il avait choisi un de ses disciples,

Kuni à l'âge de 18 ans

Yô Ichikawa, pour la préparation du concours d'entrée aux Beaux-Arts de Kyoto. « Yô Ichikawa m'a appris à regarder, à être curieux. Avec lui, j'ai découvert l'art brut et des œuvres faites par des handicapés. Il m'a beaucoup influencé. Ensemble, on a voyagé pour peindre des paysages. On partait deux semaines. On n'avait pas grand-chose à manger et on dormait un peu n'importe où, mais je pouvais enfin quitter la maison familiale et peindre, dessiner toute la journée ce que je voyais : des coquelicots, des arbres, des insectes. »

En 1959, il intègre le département de peinture moderne de tradition japonaise de l'université municipale des beaux-arts de Kyoto où le Pop art américain a conquis enseignants et élèves : Roy Lichtenstein, Robert Rauschenberg, Jasper Johns sont les modèles à suivre. Contrairement à ses camarades, Kuni prend ses distances avec cette avant-garde non sans avoir participé à quelques expériences de body-art : « J'ai sans doute moi-même un univers très pop, mais à l'époque je faisais un rejet du Pop art américain que je trouvais trop brutal et primaire. » Il ne prendra pas une part active aux mouvements de contestation du traité de sécurité nippo-américain qui plongeront le monde universitaire des années 1960 dans le chaos. L'image qu'il conserve des quelques manifestations auxquelles il a participé, ce sont les longs bambous taillés et acérés, pointés par les étudiants contre les boucliers des policiers, et la violence des affrontements. Son cœur est à gauche mais il se méfie des communistes. Ses parents voient d'un mauvais œil son soutien aux manifestations. Un fils d'artisan ne doit pas résister ni s'opposer à la société car cela peut causer des torts à la famille et à la profession. Pour exprimer son désarroi et sa volonté de résister en tant qu'artiste, il peint une grande toile sombre et torturée représentant des racines d'arbre et un tronc, avec des tourbillons rouge sombre. Le jugement de ses professeurs tombe : « Tu ne dois pas exprimer tes problèmes personnels dans ton art. L'individu est petit. L'art est plus élevé. »

À l'automne 1959, le musée municipal de Kyoto avait organisé une exposition sur l'art français, présentant essentiellement des œuvres du Louvre. Kuni était intuitivement attiré par l'école de Barbizon, et plus particulièrement par Corot, ses maisons sombres et ses paysages empreints d'élégance et de sérénité : « Je découvrais avec bonheur qu'il existait un pays où la nature elle-même apportait des réponses aux questions que l'on se posait. » Cette exposition avait été une révélation et, en sortant, il avait décidé d'apprendre le français et était allé directement s'inscrire à la session d'hiver de l'Institut franco-japonais du Kansai. « Mon premier souvenir en franchissant le seuil de l'Institut, c'est l'odeur de la pipe que fumait le directeur. Comme celle du chauffage au charbon, à une époque où les Japonais n'avaient que des braseros. Et puis les femmes sentaient bon, leur parfum faisait tourner la tête du jeune homme que j'étais. » Des effluves de pipe, un sillage de parfum, une chaleur omniprésente : voilà les impressions dominantes de son premier contact avec la culture française. Il perçoit l'Institut comme un refuge quasi maternel, qui lui apporte sécurité, chaleur, douceur, confort, en opposition avec la dureté et la froideur de la vie quotidienne à la maison où l'activité de l'atelier prime sur le confort de la famille.

Pendant les années universitaires son emploi du temps chargé lui donne un prétexte pour fuir la maison. Il partage son temps entre les cours à la fac et les cours de français du soir. Il rentre le plus tard possible, quand tout le monde est couché et là, allongé sur son tatami, il rêve de vivre en France. Après quelques mois, séduit par sa personnalité et son enthousiasme, son professeur, Jean-Pierre Hauchecorne, lui suggère de poser sa candidature pour obtenir une bourse d'études du gouvernement français. Ses parents rencontrent alors Hauchecorne, qui se passionne pour le travail de Kakô et se lie d'amitié avec la famille Moriguchi. « C'est lui qui a préparé mon dossier pour la bourse, et fait faire des lettres de recommandation. C'était un homme gai et ouvert qui chantait après les cours. On prenait le thé, on regardait des films. Il était comme mon parrain. »

Jean-Pierre Hauchecorne était un homme cultivé et chaleureux qui adorait le Japon. Grand amateur d'art Mingei, il collectionnait des pièces du potier Kanjirô Kawai, préférant les objets sans émail, sobres et massifs. Sa jolie maison japonaise au pied des montagnes, au nord de Kyoto, fascinait Kuni. Les salons étaient couverts de tapis et peuplés de multitudes d'objets anciens et de peintures japonaises. Il avait pour la première fois goûté des plats français préparés par un ancien cuisinier de marine attaché à la maison. Le père de Hauchecorne était consul général à Osaka et Kobé. À l'âge de dix-huit ans, le fils était venu au Japon voir son père et il y était resté. Il avait obtenu un poste à l'Institut français mais, comme il n'avait pas de diplômes, sa carrière stagnait. Ça ne l'avait pas empêché d'accompagner Nicolas Bouvier, et bien des artistes et personnages politiques en visite au Japon tant il était apprécié.

Jean-Pierre Hauchecorne et son épouse Hariette,
le 16 août 1963 sur le quai du port de Kobé au moment du départ

Grâce à son soutien, Kuni avait obtenu une bourse à l'école des Arts décoratifs de Paris pour une année, accomplissant ainsi le plus grand de ses rêves. Il allait enfin pouvoir vivre pour lui, loin des contraintes de la famille, des traditions de la société japonaise et révéler l'artiste qui était en lui. « Je voulais que ma sensibilité japonaise explose dans le monde entier comme une bombe. »

# Le voyage

En août 1963, tout juste diplômé des Beaux-Arts de Kyoto, le jeune Moriguchi embarquait sur le paquebot *Le Cambodge*, qui devait le mener en France. « Le jour de mon départ, le 16 août, c'était Daimonji. Ce jour-là, on allume des feux sur la montagne à la fin de la saison d'O-bon, pour les ancêtres défunts afin que leurs âmes puissent rentrer chez elles. C'est une cérémonie du XIII$^{e}$ siècle : toutes les collines de Kyoto brûlent pendant une demi-heure. Je n'ai pas pu y assister, je ne suis pas parti avec mes ancêtres. »

Sur le quai du port de Kobé, parents, professeurs, amis, disciples, tous l'avaient accompagné pour lui souhaiter bonne chance et bon voyage. Il avait eu une pensée particulière pour le plus jeune des disciples, resté à Kyoto pour garder la maison. Le départ était une fête avec les guirlandes de couleurs jetées du pont supérieur, le concert de sirènes, de cornes de brume, de sifflets.

Le voyage avait été long et dépaysant, à commencer par le bateau, qui accueillait en première classe de riches vacanciers en croisière. Kuni les voyait se prélasser sur les transats. Une jolie fille en deux-pièces se promenant avec un bébé léopard l'avait fasciné. « C'était comme dans mes rêves, il y avait de grandes femmes blondes, élégantes et oisives. J'étais dans une fascination totale. Avec ces images-là me revient la musique de Sylvie Vartan, *Allez, ce soir on va danser comme on l'a fait l'été dernier*, que diffusait un haut-parleur au bord de la piscine. »

Kunihiko aux cheveux gris, assis face à moi devant un café crème, raconte avec candeur ce Kunihiko aux cheveux noirs ébouriffés, qui, à l'âge de vingt-deux ans, découvrait un espace de liberté insoupçonné, hors de Kyoto, sombre, cloisonné, tourné vers le passé. Il observait la mer pendant des heures, accoudé au bastingage, guettant l'apparition d'un dauphin, d'une baleine ou d'un oiseau migrateur. À Hong Kong, projetant de faire voler un cerf-volant, il était entré dans un building, au hasard, était monté au dernier étage pour le lancer au vent, restant là à jouer, la tête tournée vers le ciel : « J'adore les cerfs-volants car

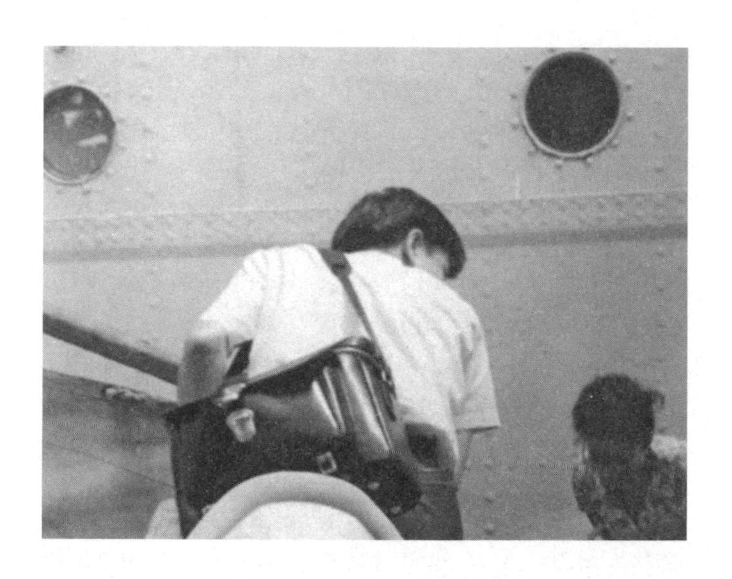

Kunihiko Moriguchi à Kobé, 1963

on arrive à toucher le ciel avec la force du vent et on peut entrer en relation avec lui. Dès que je vois un lieu en hauteur, je sors mon cerf-volant. »

Saïgon en guerre était sous couvre-feu mais rien ne faisait peur à Kuni. Dans la journée il visitait des musées gardés par les tanks et les militaires américains. Mais son rêve était de découvrir la ville la nuit, quitte à braver l'interdit. La passerelle avait été enlevée. « Il restait une petite porte au niveau du quai pour les marins français. Je me suis lié d'amitié avec l'un d'eux et on est allés boire un pot un soir avec un taxi qu'il avait commandé. On s'est rendus dans un quartier de plaisirs où régnait une sorte de gaieté. Je me suis amusé à Saïgon alors même que c'était la guerre. »

Les étapes s'enchaînent : Singapour, Colombo, Bombay, ou une panne de moteur au milieu de la mer indienne. À Suez, excursion en Égypte pour voir les pyramides. Puis Marseille et le train jusqu'à Paris.

Une chambre lui avait été attribuée à la Cité universitaire dans la maison du Japon mais l'idée de se retrouver avec des Japonais le déprimait. Aussi l'avait-il échangée contre une autre, plus grande, au dernier étage de la maison d'Espagne. Soucieux néanmoins de faire découvrir la culture japonaise à ses nouveaux amis français et étrangers, il les invitait à participer à la cérémonie du thé, rituel qu'il avait appris avant son départ de Kyoto, une manière de garder un repère, un point d'appui, pour ne pas se sentir totalement dépaysé.

Ses premières impressions de Paris avaient été décevantes : « Je trouvais Paris sombre et noir. Il pleuvait beaucoup. D'ailleurs les premiers mots que j'ai appris c'est "temps de chiottes". Le ciel était couvert en permanence et pendant trois mois je n'ai pas vu le soleil ! Dans *Le Figaro* un dessin m'avait frappé : on voyait un pingouin sur un bloc de glace dérivant sur la Seine devant Notre-Dame. » Les formalités à la préfecture avaient achevé de le désenchanter : « Là-bas tu fais la queue pour avoir un numéro pour refaire la queue jusqu'au lendemain matin et chaque formulaire nécessite la même attente. Sans parler des fonctionnaires toujours de mauvaise humeur et plus occupés à fumer qu'à travailler. »

Pour un peu, Kunihiko aurait été atteint du « syndrome de Paris » qui touche certains Japonais, désemparés par le fossé entre la réalité qu'ils découvrent et ce qu'ils avaient imaginé et idéalisé. Avait-il laissé la proie pour l'ombre en quittant Kyoto ?

# Les Arts décoratifs

L'arrivée de Moriguchi à l'école des Arts décoratifs en 1963 avait commencé par trois jours de bizutage non-stop. Par bonheur, comme il intégrait la deuxième année, il n'était pas directement concerné. « Je serais mort de honte si j'avais dû subir une telle épreuve », m'avait-il confié. Francis Metzler, venant de Grenoble et intégrant les Arts-Déco en même temps que Kuni, a gardé un souvenir très vivant de ces années, et de l'ovni japonais dont il est resté très proche jusqu'à aujourd'hui : « Le bizutage était un univers sonore absolument incroyable, très agressif ! La fanfare jouait continuellement en reprenant des morceaux, toujours les mêmes. Jouer harmonieusement n'avait aucun intérêt. Il fallait faire du bruit, relancer, et tout le monde reprenait en chœur des chansons gentiment paillardes. La reine du bizutage s'appelait Françoise

Taureau. Elle était juchée sur les placards avec sa cour autour d'elle et donnait les ordres tout en tricotant. Le principe, c'était rigoler, mais au sens gaulois du terme. Tout le monde rigolait, les nouveaux comme les anciens. On avait droit à la colle, aux plumes, à la peinture. Tout le monde bougeait, chantait, racontait n'importe quoi, c'était la nef des fous! Se mettaient à poil ceux qui le voulaient. C'était tellement glissant que, habillé ou pas, tout le monde finissait par terre, couvert de peinture et de plumes. »

On imagine l'effet produit sur Kuni, habitué à l'atelier silencieux, industrieux et policé de son père, comme à l'ordre calme et silencieux des Beaux-Arts de Kyoto, aux échanges sociaux codifiés. Il se souvenait que certains étudiants, ne supportant pas le rythme et le stress du bizutage, avaient quitté l'école. La plupart de ceux que j'ai rencontrés décrivent une ambiance plutôt bon enfant.

Kuni, lui, avait décidé de s'accrocher coûte que coûte. Il avait été choisi pour cette bourse. Il était en France, ses études étaient payées, il fallait donc qu'il réussisse, il n'avait pas le choix. Il se devait d'honorer par son succès tous ceux qui avaient cru en lui et l'avaient soutenu, à commencer par sa famille. Mais changer d'univers demandait un énorme effort d'adaptation.

Moriguchi mesurait la distance qui séparait la mentalité des Japonais de celle des Français. La culture japonaise a été formée sous les influences du bouddhisme, du confucianisme et du shintoïsme. Ce sont des religions polythéistes qui n'ont pas la notion d'un Dieu tout-puissant ni même celle de la transcendance. « Ces religions, nous dit Etsuo Yoneyama, n'ont pas agi dans l'histoire du Japon de façon à développer la pensée universelle et l'idée d'abstraction que nous trouvons dans la culture des religions monothéistes. Elles n'ont pas non plus agi pour favoriser l'affirmation du soi et la notion de droit. Par contre, elles ont favorisé le développement de l'esprit de groupe et de l'harmonie, et le sens du pragmatisme. » Selon Yoneyama, le monde monothéiste est fondé sur la notion d'un dieu transcendant qui soumet l'homme à un dogme, celui du péché originel et de la chute de l'homme qui à son tour exerce sa puissance sur la nature. La pyramide fonctionne du haut vers le bas. Dans un monde polythéiste, au contraire, les dieux, peu définis, ne sont pas hiérarchisés et aucun dogme n'est attaché à leur existence. Dans la pyramide, la nature est placée au-dessus de l'homme, et donne accès aux dieux, en haut de la pyramide. Les hommes sont liés entre eux par la confiance et régulés par le respect de soi-même et des autres, l'honneur et la peur de perdre « la face ».

Au début, Kunihiko avait du mal à suivre les cours. Les professeurs parlaient vite et ne se souciaient pas vraiment d'être compris. Les étudiants travaillaient en s'amusant, mais Kuni était toujours très sérieux, parlant peu, et pas très bien français, ou peut-être était-il trop timide pour parler librement. Metzler me racontait que Kuni, même s'il s'exprimait maladroitement, avait à cœur d'échanger avec les autres. « À l'école on parlait l'argot, lui avait toujours son dictionnaire et regardait le sens de chaque mot. Ça m'avait impressionné ce besoin de comprendre, par rapport au troupeau agité de l'atelier. » Ses amis de l'époque le décrivent comme un jeune homme presque effacé, bien habillé mais très discret. Il ne portait ni jeans ni chemise bariolée, mais des vêtements simples et classiques. Metzler voyait Moriguchi comme un cartésien qui s'évertuait à comprendre ce qui se passait dans un lieu où régnait une folie permanente : « Au début il m'a demandé bien des choses, on se

Kunihiko Moriguchi à la Cité universitaire, 1964

reconnaissait comme deux étrangers, dans cet univers diabolique. Et probablement qu'on a appris à s'aider, à s'épauler mutuellement. » Les quinze nouveaux venus apprennent à vivre avec les quarante-cinq anciens dont ils partagent l'atelier : « Notre vie c'était l'atelier, c'était notre famille. On y dormait souvent et on y mangeait. On rencontrait des gens, on s'aidait tout en étant les petites mains des anciens. C'est dans l'atelier que l'on apprenait à vivre, à échanger, à fermer sa gueule aussi. On apprenait surtout beaucoup en regardant les autres travailler. »

Dès les premiers exercices plastiques, Moriguchi se démarque des autres : un calme absolu, une grande maîtrise et une patience infinie. Il impressionne ses camarades comme les enseignants. Mais il avoue que certains cours étaient vraiment durs. « Le professeur de perspective était très sévère. J'ai passé tellement de temps sur ses cours ! À la fin de l'année, on avait lors de l'examen final une interrogation publique ; l'amphithéâtre était plein. On nous posait une soixantaine de questions et pour chaque situation il fallait faire un dessin. On tirait un numéro au sort. La personne interrogée devait exécuter ce qui lui était demandé sur une estrade, devant tout l'amphithéâtre, en expliquant pourquoi. C'était très difficile mais c'était ma matière et parfois je pouvais aider les autres. Certains étaient jaloux que je réussisse mieux qu'eux bien qu'étant japonais. »

Du lundi au samedi, les matinées étaient consacrées à réaliser des dessins au fusain, des copies d'œuvres du Louvre, ou des modelages de corps humain en argile. Ne pas réussir à présenter chaque mois ses réalisations pouvait être un obstacle pour accéder au niveau supérieur : ce système d'enseignement rigoureux était très stimulant pour Kuni. Les cours de modelage de statues en plâtre étaient ardus, mais cette formation lui sera par la suite très utile pour réfléchir à la plastique des kimonos de yuzen, même si à l'époque il était loin d'avoir cette idée en tête.

Pour les cours de spécialisation, en quatrième année, il choisit le design graphique, section nouvellement créée à l'école. Le directeur, Jacques Adnet, a fait venir des graphistes de l'école suisse, très en vogue à l'époque. Jean Widmer, héritié du Bauhaus, et Adrien Frutiger, inventeur d'un jeu de typographie, à la pointe de la nouveauté et adopté par IBM. Jean Widmer aimait l'art optique qui débutait en France. Il formait ses élèves sur des exercices de dégradés. Sur une feuille de format cinquante par cinquante centimètres ils devaient tracer une centaine de lignes parallèles au tire-ligne, en les espaçant progressivement. Metzler s'en souvient comme d'une épreuve : « Deux filles disaient en râlant : "J'y arrive pas, j'y arrive pas", c'était pareil pour moi. Le seul qui arrivait à tracer ces lignes avec constance, fermeté et régularité, c'était Kuni, et je lui demandais comment il pouvait se concentrer de cette manière. Et il me disait : "C'est la respiration. Tu retiens ton souffle et tu travailles sans respirer." Il travaillait en apnée. »

J'avais sans le savoir expérimenté la même méthode que Kuni en le filmant par-dessus son épaule alors qu'il traçait les lignes d'un motif sur la soie du kimono. Probablement était-il en apnée en même temps que moi.

Tous les soirs, Kuni travaillait jusqu'à minuit à la Cité, refaisant tout ce qui avait été fait dans la journée. L'un de ses camarades, Philippe Weisbecker, avait voulu en savoir plus : « Il m'intriguait, ses rendus étaient si parfaits. Un jour, il m'a invité à la Cité universitaire et m'a dit que tous les matins il se mettait accroupi, muni d'une longue tige avec un crayon au bout, et passait un quart d'heure à faire des lignes parallèles les plus droites possibles. Il voulait arriver à la perfection. C'était une forme de recherche zen. »

Kuni refaisait ce qu'il avait vu faire dans l'atelier de son père, avec la même rigueur et la même qualité de travail, dans le dessin comme dans la couleur.

« C'était le début de la pop, me dit encore Metzler. On écoutait la radio. Notre univers coloré était fort, ça cognait. Mais Kuni était capable de sortir dix verts différents dans une palette. Ni moi, ni les autres n'avions cette sensibilité chromatique. On en était incapables. Pour les rendus, on se jetait sur le travail et on était heureux de terminer. Lui c'était l'inverse, là où on mettait dix minutes, il mettait trois heures. Chaque angle était parfait, comme Widmer nous avait appris à les faire : quand on dessine un angle droit il faut que la pointe sorte pour que l'œil retrace l'angle parfait. Tout ce qu'on nous apprenait il le mettait en application immédiatement. Kuni m'a enseigné la lenteur, la constance et le respect du travail bien fait. On ne triche pas, on a toujours le temps et jusqu'à la dernière seconde on travaille calmement. »

Comment le jeune Moriguchi vivait-il l'éloignement avec sa famille et son pays ? Metzler se souvient qu'il parlait de temps en temps du Japon. Tous les dix jours il recevait une lettre de sa mère qui lui donnait des nouvelles de la famille, de l'atelier. Avec Kuni, il partageait les petits gâteaux, biscuits apéritifs, riz soufflés envoyés par colis par sa mère : « J'ai encore les boîtes de thé vert qu'il m'offrait. Je plaisantais en disant que ça ressemblait à de l'herbe. Tout ce qu'il me donnait était comme un trésor que j'accumulais. Je savais que c'était un concentré de savoir et de qualité. »

Metzler pense que Kuni plongeait éperdument dans le travail parce qu'il se sentait en exil. Alors que lui était parti de chez lui pour conquérir son indépendance, il voyait que Kuni demeurait très attaché à sa famille, malgré ou à cause de la distance. À Paris, il avait quelques amis japonais comme le cinéaste Okamura qui avait eu la même bourse que lui. Il voyait aussi des gens de la Cité universitaire mais il avait apparemment peu de véritables amis. Metzler était sa principale famille. « Quand j'allais en vacances, il venait avec moi chez mes parents. En Savoie, ou ailleurs. Parfois il disparaissait huit, dix jours, on ne savait pas trop où il allait mais il était content de revenir. »

La qualité du travail de Moriguchi était appréciée de ses professeurs et, en 1965, Jean Widmer le convoque dans son agence pour lui demander de concevoir une carte de Noël pour la revue *Jardin des modes*, magazine à cette époque très important pour le graphisme et dont il avait créé l'identité visuelle. « C'était une vraie responsabilité car ça devait exprimer l'image de Widmer et de ses créations auprès de ses clients et amis. Il fallait donc que ça soit original et de bon goût. » Encouragé par cette première commande venue de quelqu'un qu'il respectait et dont il admirait l'œuvre, Kuni se voyait sortir de l'École avec un avenir assuré, dans le pays qu'il avait choisi, et où il était intégré. Mise à part son extrême politesse, toute japonaise, il était pour ainsi dire devenu français.

Kunihiko à Paris avec ses amis des Arts-Déco, 1966

À la sortie de l'école, en juillet 1966, il était reconnu parmi les meilleurs et tout le monde attendait beaucoup de lui. « J'étais persuadé, me dit Metzler, que Kuni allait rester en France, qu'il allait s'intégrer. Les grandes agences, les grands ateliers en archi, dans le graphisme comme dans l'édition, tous lui faisaient la cour. » Le designer coloriste Jean-Philippe Lenclos était du même avis : « Kuni aurait pu ouvrir un bureau d'étude au Japon, pays particulièrement évolué en design graphique. Ikkô Tanaka était un des plus grands graphistes de son époque, Kuni aurait pu prendre le relais. » Philippe Weisbecker aussi le voyait s'installer comme architecte ou graphiste quelque part en Europe.

Mais Kunihiko Moriguchi ne s'est pas installé en France. Peu de temps après la remise des diplômes de fin d'études, il était allé trouver Metzler pour lui annoncer qu'il retournait définitivement au Japon s'établir dans l'atelier et apprendre la technique du yuzen depuis le début, afin de suivre les traces de son père. Metzler avait objecté à Kuni qu'il avait un avenir en or en France et que ce serait idiot de partir après tous ses efforts à l'école, et de s'éloigner des professionnels qui lui déroulaient un tapis rouge. Metzler se souvient de sa stupeur : « "Mais Kuni, tu ne vas pas retourner au Japon pour te marier ! Tu la connais cette fille ?" Il ne la connaissait pas vraiment. Je lui ai demandé pourquoi il faisait ça. Il m'a répondu : "C'est inscrit en lettres d'or dans ma tête." Dans les années 1964 – on avait vingt ans, vingt-deux ans – quelqu'un qui te dit un truc comme ça tu ne l'oublies pas… J'ai pensé qu'il était devenu complètement fou ou con. »

L'insistance de Metzler et des copains des Arts-Déco auprès de Kuni pour qu'il reste en France avait néanmoins ébranlé sa décision. Il décida de prendre le temps de la réflexion.

# Double vie

À bord du *Cambodge*, Kunihiko était loin de se douter qu'il ferait sur le bateau une rencontre qui donnerait à son séjour parisien une dimension extraordinaire. En mer, plusieurs semaines après le départ de Kobé, un maître d'hôtel lui avait apporté un message d'un passager de première classe l'invitant à déjeuner. Ryôun Kaneko, grand spécialiste de la sculpture bouddhiste de la période Heian, voyageait en compagnie de Yuwao Murai, expert des terres cuites funéraires du IIIe siècle Haniwa. Moriguchi père, qui les connaissait, avait mentionné leur présence sur le bateau à Kunihiko qui s'était empressé d'oublier, n'étant guère enthousiaste à l'idée de voyager avec des gens de ce monde traditionnel qu'il fuyait. La discussion fut anodine pour Kunihiko qui percevait l'invitation comme un simple geste de politesse à l'égard de son père, persuadé qu'il n'avait rien à leur apporter, et réciproquement.

Les deux conservateurs du musée de Tokyo accompagnaient sur *Le Cambodge* de précieuses caisses contenant une collection d'œuvres japonaises anciennes qui devait être exposée à Paris au Petit Palais. En décembre 1958, André Malraux, ministre de la Culture du général de Gaulle, s'était rendu au Japon et avait lancé l'idée d'une exposition à Paris. « Il ne s'agit pas d'organiser seulement une exposition japonaise mais de permettre à deux vieilles civilisations de se rencontrer », avait-il déclaré aux journalistes. L'idée était de mettre en évidence l'aspect sacré des deux cultures. Il avait confié le commissariat de cette exposition à son ami Balthus. Trois ans plus tard, l'exposition allait voir le jour en France.

Peu de temps avant d'arriver à Hong Kong, les conservateurs, incapables de rédiger un télégramme en français, avaient demandé son aide à Kunihiko et, pour le remercier, promis de l'inviter à voir l'exposition au Petit Palais.

Après son inscription aux Arts décoratifs, Moriguchi avait commencé à prendre ses marques dans la capitale. C'est à ce moment-là que les deux conservateurs, paniqués par le retard pris sur l'accrochage, l'avaient rappelé : à quelques semaines de l'ouverture de l'exposition, rien n'était prêt. Au Japon les musées confiaient habituellement les accrochages à des décorateurs qui prenaient tout en charge. Mais en France ça ne se passait pas comme ça. Le musée avait mis à leur disposition un vieux menuisier avec qui ils peinaient à communiquer, ne sachant pas quelle couleur de papier mettre aux murs ni quelles hauteurs attribuer aux socles. Kuni était heureux de mettre en pratique ses connaissances d'histoire de l'art japonais, ses talents de décorateur et de s'adresser à un Français dans sa langue. Il s'est rapidement lié d'amitié avec le vieux menuisier – j'imagine qu'il devait lui rappeler les artisans de son pays – et ils travaillèrent de concert pour l'accrochage. Jusqu'au jour où Moriguchi tomba en désaccord avec ce qui avait déjà été décidé. Il pensait qu'il convenait de placer le tableau de Hasegawa Tôhaku, à ses yeux l'une des pièces maîtresses de l'exposition, où elle serait le plus visible. Cette œuvre témoignait de l'émergence de la peinture japonaise, se dégageant de l'influence chinoise. Or à cet emplacement avaient déjà été disposés sur toute la surface du mur des rouleaux de peinture zen – en fait des dessins humoristiques – faits par des moines. Moriguchi s'en était indigné devant le conservateur Kaneko : « La personne qui a donné les instructions d'accrochage se moque de l'art japonais, je souhaiterais lui parler. » Kaneko avait montré du menton un homme qu'il avait déjà vu les jours précédents : c'était le commissaire d'exposition – qui avait des idées très arrêtées sur l'art japonais. On prévient Moriguchi qu'il était impossible de le contredire, sauf à vouloir déclencher sa fureur.

C'était un homme grand, fin, élégant, avec une canne, tel un dandy. Vêtu d'un pantalon de Camargue, d'une chemise de coton vert, il tenait à la main un mouchoir de paysan italien, rouge et bleu. Toute une palette. Il s'était adressé à Kuni avec une politesse un peu théâtrale qui l'avait surpris : « Jeune homme que voulez-vous faire dans la vie ? Décorateur ? » Mais Kuni ne voulait pas parler de décoration. Il voulait contester un choix et argumenter le bien-fondé de ses objections. « J'ai parlé très poliment, très lentement, lui aussi, il parlait lentement car, quand il était petit, il bégayait, donc je comprenais tout de suite ce qu'il disait. Alors il m'invita à déjeuner et me donna rendez-vous une heure plus tard au restaurant Lipp. Puis il se présenta. C'était Balthus.

Quand je l'ai retrouvé au restaurant il portait un costume bleu foncé, une chemise blanche. Quelle élégance ! Moi, à côté, j'étais un misérable petit Japonais. Le déjeuner a pris fin tard dans l'après-midi. Il m'a écouté parler de l'art japonais, mais il en savait plus que moi. Pourtant, j'avais appris l'histoire de l'art avec l'un des plus grands connaisseurs du Japon. J'étais sûr de moi et je m'obstinais. Pour moi, Hasegawa Tôhaku était un peintre profondément japonais. Balthus voyait une influence chinoise dans sa peinture. Il a justifié son choix d'accrochage en disant que c'était la première fois depuis la fin de la guerre que l'on montrait des œuvres japonaises anciennes au public parisien et qu'il avait à cœur que les Français ne confondent pas les œuvres chinoises avec les œuvres japonaises. Il voulait que les gens soient sensibles et ouverts à l'originalité du Japon. »

Kuni, si jeune alors, avait été touché par l'intérêt que Balthus portait à la culture japonaise : « Je me suis dit : quel personnage ! Et puis il avait disposé les peintures sur tout le mur de manière à composer l'idéogramme "*kokoro*" qui signifie le cœur ou sentiment. J'ai trouvé ça vraiment généreux. J'ai tout accepté après ! »

L'exposition était organisée par le musée national de Tokyo, le journal *Asahi Shinbun* et le ministère d'État chargé des Affaires culturelles, ainsi que le ministère des Affaires étrangères. Elle s'intitulait « L'Au-Delà dans l'art japonais ». Elle fut présentée au Petit Palais d'octobre à décembre 1963.

Balthus avait été invité au Japon en 1962 par le quotidien *Asahi* pour faire la sélection des œuvres. Le journal avait mis à sa disposition pour l'accompagner, comme il était d'usage avec les étrangers de marque, une jeune et jolie femme de dix-huit ans, Setsuko Ideta. Issue d'une famille bourgeoise – son père dirigeait Esso Japon –, elle parlait un peu français. Balthus fut sous le charme et la fit venir à Paris. Ils ont vécu ensemble jusqu'à la mort du peintre.

Le week-end suivant leur rencontre, Balthus avait entraîné Kuni au château de Chassy, dans le Morvan où il venait de passer sept ans, isolé dans la campagne avec sa jeune cousine par alliance, Frédérique Tison, son amante et modèle. « Ils se racontaient des histoires que personne ne comprenait. Ils avaient une complicité de jeux de mots, un monde à eux. J'étais heureux de les voir ainsi – si naturels. » En 1961, après leur séparation, Balthus avait offert le château à Frédérique et il était allé vivre à Rome à l'académie de

France comme directeur. Pendant la préparation de l'exposition au Petit Palais, il habitait chez les Picon aux Gobelins, où Kuni allait très souvent après l'école, abandonnant son atelier de la cour de Rohan. Gaëtan Picon était critique d'art et directeur général des Arts et des Lettres du ministère de la Culture de Malraux. Avec sa femme Geneviève, ils avaient pris Kuni sous leur protection, séduits par son charme, son intelligence et sa gentillesse, et l'avaient introduit dans le Tout-Paris de l'époque. Il a ainsi côtoyé Miró, Max Ernst, Chagall, Masson, Jacques Prévert, les frères Giacometti, et assisté aux dîners de Carmen Baron qui accueillait les milieux du spectacle, de la musique, de l'art et de la littérature dans son salon, au 54, rue de Varenne, face à l'hôtel Matignon. Jamais il n'a parlé à ses amis et camarades des Arts-Déco de ce qu'il vivait les week-ends et les vacances quand il s'absentait. Il était d'une grande discrétion et vivait une sorte de double vie en toute tranquillité. Ses qualités artistiques, son esprit critique, son sens de la communication se sont probablement épanouis au contact de ces grands artistes et intellectuels. En trois ans, Kunihiko avait parcouru un chemin extraordinaire et inespéré pour un jeune Japonais, fils d'artisan qui avait grandi dans le quartier de Nijô à Kyoto. Il le savait et n'a jamais cherché à dissimuler d'où il venait.

En 1966, à la sortie de l'école, Moriguchi eut besoin d'un garant pour prolonger son séjour en France. Balthus, qui dirigeait alors la Villa Médicis à Rome, fut son garant et l'invita avec enthousiasme à venir le rejoindre sous le soleil de Rome et penser à son avenir professionnel l'esprit libre. Il y restera plus de cinq mois.

Balthus était retourné au Japon en 1964 pour accompagner la restitution des œuvres exposées à Paris. En compagnie de Setsuko et de Jean-Pierre Hauchecorne, il avait rendu visite à Kakô, le père de Kunihiko, et découvert ses kimonos peints. Il avait été fasciné par la qualité de son travail, l'harmonie des couleurs et ils avaient sympathisé, entre artistes. Setsuko se souvient de la rencontre : « C'était un émerveillement pour Balthus. Il avait un grand respect pour Kakô et avait écouté ses explications, la manière dont il avait inventé des traitements particuliers pour la teinture, Balthus regardait tout très attentivement, de près. Il disait que c'était un grand bonheur que Kuni soit le fils de ce génial artisan. Kakô avait montré à Balthus l'atelier et la façon dont il créait un effet dit makinori sur le tissu et c'était un émerveillement car Balthus n'aimait pas les tons unis. Le makinori donnait une vibration qui croisait les recherches picturales de Balthus. »

Avaient-ils parlé ensemble de l'avenir professionnel de Kuni ? Il semble que Jean-Pierre Hauchecorne était lui aussi partisan de son retour au Japon. Comment Kuni pouvait-il trouver la force d'aller au bout de ses désirs en France si tout le monde avait un autre projet pour lui ?

Kunihiko logeait dans la chambre turque. La pièce, située au sommet de l'une des deux tours du bâtiment, avait été conçue par Horace Vernet au XIX$^{e}$ siècle, en hommage au mythe du voyage en Orient. De forme carrée, elle est pourvue de deux fenêtres, par lesquelles on découvre au loin la campagne romaine. Parois, plafond et sol sont ornés de céramiques aux motifs arabisants. « Je m'allongeais sur la banquette et, la tête renversée en arrière, j'observais par l'encadrement de la fenêtre, pendant de longs moments, le dessin abstrait et aléatoire des vols d'étourneaux dans le ciel azuréen. » Impossible de ne pas songer à la peinture de Balthus *La Chambre turque*, terminée en 1966 alors que Moriguchi se trouvait à la Villa Médicis. Le tableau représente Setsuko, dénudée, assise sur un lit comme une odalisque d'Ingres, et entourée de motifs de tissus, de papiers peints et de céramiques aux dessins géométriques. Il n'y a pas de perspective, objets et meubles sont représentés en aplats. Les volets sont clos. Kuni utilisera certains des motifs du tableau comme matrice pour ses déclinaisons géométriques.

La vie à la Villa était délicieuse. Kunihiko faisait partie de la famille et s'initiait au farniente imposé par Balthus pour vivre pleinement le plaisir de l'instant sans penser à rien. Il participait aux festivités en présence des amis de Balthus et des célébrités de passage. Il a dîné plusieurs fois chez Fellini et Giulietta Masina, s'est rendu avec Tony Curtis à Ferrare dans sa décapotable, a voyagé en bus pour découvrir les musées et églises de Toscane, s'est passionné pour Piero della Francesca.

Les dîners en tête à tête avec le peintre se terminaient la plupart du temps dans la bibliothèque autour d'un verre de cognac. L'artiste sortait des livres des rayonnages et expliquait d'où venait sa peinture et qui étaient les artistes dont il réclamait la filiation : Piero della Francesca pour

Jardin de la Villa Médicis

sa clarté, Poussin pour son classicisme, Courbet pour son réalisme. Il appréciait le symbolisme de Maurice Denis et les illustrations pour enfants du XIXe siècle. Pour Balthus, la peinture c'était le grand art, une chose sérieuse, un métier, une éthique. Kuni avait vu en lui, auréolé par l'admiration que lui portait Malraux, un artiste qui ne triche pas. Cette approche zen du travail lui rappelait son père et peut-être a-t-il mieux compris durant ce séjour romain qui était artistiquement Kakô. Balthus lui parlait de l'importance de transmettre les savoir-faire de génération en génération et regrettait que cette tradition se perde en Europe. Il glissait alors : « Peintre de kimonos est un très beau métier, tu pourrais y songer. »

Balthus avait fait une demande de bourse d'études auprès du ministère des Affaires étrangères pour Setsuko afin d'officialiser sa présence à la Villa Médicis, car elle avait vingt ans et ils n'étaient pas encore mariés. Kuni, qui avait à peu près le même âge et se trouvait dans une même vacuité à la Villa, s'était lancé dans un projet de livre avec elle. « Je ne pouvais pas rester à ne rien faire, alors j'ai proposé à Balthus de faire un livre autour de sa collection de poupées japonaises Do-Ningyô. Ce sont des poupées en terre, cuites à très basse température, très populaires au Japon. Je ferais des photos en noir et blanc et Setsuko écrirait le texte. Balthus m'avait encouragé et nous avait trouvé un éditeur. J'avais commencé à prendre les photos en mettant en scène les poupées dans la nature ou avec des éléments d'architecture. Je faisais moi-même les tirages, mais l'éditeur a trouvé mes épreuves trop sombres et j'ai laissé tomber. »

Balthus et Kunihiko à la Villa Médicis, 1965

Pourquoi Balthus s'intéressait-il à « l'excellent Moriguchi » comme il l'appelait ? Bien sûr il avait toutes les qualités du monde – que j'ai déjà évoquées –, mais il demeure cependant une part de mystère dans cette relation. Ses amis de l'époque ont avancé l'hypothèse que Kuni aurait représenté pour Balthus le mythe de l'art et de la culture japonaise qui le fascinait tant. Mais Setsuko nous rappelle combien le Japon était présent dans la vie de Balthus : « Il ne faut pas oublier que dans son enfance il était proche de Rilke, qui était l'amant de sa mère, proche aussi d'André Gide, qui lui a fait découvrir le théâtre Nô dès son plus jeune âge. Son frère, Pierre Klossowski, était secrétaire d'André Gide et il s'intéressait à la poésie et aux haïkus. »

Balthus connaissait très jeune toute cette culture japonaise. Il avait une attirance pour le shinto et la pensée bouddhiste. À l'âge de onze ans, il trouve puis perd un chat, qu'il avait appelé Mistsou, un nom à résonance japonaise, qui deviendra le titre d'un livre illustré de ses dessins et préfacé par Rilke. La rencontre avec Setsuko, puis Kunihiko, faisait probablement écho à ses souvenirs d'enfance. L'une et l'autre sont entrés dans sa vie : Setsuko, la muse et l'amante, Kunihiko l'ami, et le témoin d'une culture multiséculaire, incarnée par Kakô avec ses kimonos peints.

Balthus était devenu un père de substitution pour Kuni et peut-être le manipulait-il habilement, sans tenir compte des aspirations du jeune homme et de son désir de rester en France. Il répétait avec douceur au fil des jours : « Tu restes tant que tu veux à la Villa, mais retourne une fois au Japon et vois ce qui se passe. Et si tu ne trouves rien pour toi, tu peux toujours revenir en Europe, je t'attends. » Le soir, quand il y avait des amis et des visiteurs de passage, bien souvent la discussion tournait autour du sens de la tradition et de l'histoire. « Il ne faut pas que la tradition cesse de se transmettre de génération en génération. Si possible de père en fils, c'est le mieux. »

À l'Institut français, quelques mois avant de quitter Kyoto pour Paris en 1963, Kunihiko avait eu comme professeur, Jean-Philippe Lenclos, qui avait passé deux ans à l'école des Beaux-Arts de Kyoto et apprenait le japonais. Lors de la visite de Balthus au Japon pour préparer l'exposition du Petit Palais, Lenclos, à la demande de l'ambassade de France, l'avait guidé dans la ville avec Setsuko et assisté lors des rendez-vous avec les conservateurs japonais. Il avait été le premier témoin de la rencontre entre les futurs mariés et il était resté très proche d'eux. À la Villa Médicis, pendant les vacances, Kuni le retrouvait car, comme lui, il faisait partie de la famille. Lorsque Malraux a donné carte blanche à Balthus pour restaurer la Villa Médicis qui était pratiquement à l'abandon, ce dernier avait demandé à Lenclos de réfléchir à une nouvelle teinte pour la façade, jusqu'alors blanche. Kuni participait à la recherche et voyait Balthus travailler. Habitué à l'atelier de son père, il apprenait en observant et en se fiant à ses intuitions plastiques.

« Les sols de la Villa Médicis, me confie Setsuko, étaient identiques à ceux des villas de la Renaissance, en marbre et dans un style plus proche du XIXe siècle. Balthus a tout fait enlever pour mettre à la place de la terracotta faite à la main. On a dû retirer les dorures des frises des murs pour les remplacer par une patine de style Shibui. Pour Kuni et moi, la beauté suprême, c'est Shibui. Sans parler, sans expliquer, Balthus nous avait fait la démonstration des principes très sûrs de la beauté : une sensation produite par une beauté simple, efficace, subtile et discrète.

C'était formidable pour nous de voir qu'un grand peintre, élu par Malraux, puisse réaliser en France ce que nous trouvions magnifique au Japon. »

Setsuko, descendante d'un samouraï, avait grandi à Tokyo dans un milieu et à une époque où le Japon était tourné vers le modèle occidental. Elle apprenait le piano, la danse classique et ne fréquentait pas le monde traditionnel tel qu'il subsistait à Kyoto. C'est en discutant avec Kuni et en vivant avec Balthus qu'elle avait redécouvert les racines de sa culture. Depuis, elle a adopté le kimono dans sa vie quotidienne : « Le fait de porter un kimono me situe, me conforte dans ce que je suis et d'où je viens. Être enveloppée dans ce savoir-faire me redonne le sentiment d'être japonaise et d'être en harmonie avec les valeurs spirituelles de mon pays. »

Balthus avait-il ressenti ce désir du Japon chez Kuni ? « Quand on vient d'un pays où on a la chance de pouvoir retourner, on y retourne », lui disait-il. Sans doute exprimait-il une nostalgie personnelle : aristocrate polonais, il ne pouvait plus rentrer dans son pays depuis qu'il était communiste. « Ton pays a une culture ancestrale, à laquelle il faut te relier au lieu de la fuir. Tu dois rentrer au Japon. »

Selon Setsuko, Balthus disait qu'il ne fallait pas que Kuni reste à Paris. Il craignait qu'il se perde dans l'art actuel ou devienne un éternel étudiant. Il devait rentrer. Le chemin de Kuni s'était en quelque sorte décidé à la Villa Medicis. « Ce qu'il me disait me faisait reconsidérer tout ce que j'avais bâti pour échapper au monde de mon père. Ces paroles venant de Balthus, un grand artiste attaché à la tradition et qui réussissait ! J'étais complètement défait… et refait peut-être aussi par lui. »

Le 15 décembre 1966, Balthus et Setsuko quittaient la Villa Médicis pour passer les fêtes de fin d'année à Genève. Kuni les avait accompagnés à l'aéroport. Sur le chemin du retour, il s'était confié à Luigi, chauffeur et homme de confiance de la Villa. Il avait pris sa décision de retourner vivre au Japon. Il voulait partir en l'absence de Bathus, sans le prévenir, pour éviter les grands adieux. Désolé cependant de ne pouvoir le remercier dignement, il a laissé à la Villa deux parapluies en papier japonais et un dessin sur tissu.

Kunihiko et Setsuko à Rome, 1966

De passage à Paris, Kuni n'avait pas voulu déranger qui que ce soit. Le dernier soir, il se souvient avoir mangé une choucroute, seul, dans un restaurant de la rue des Écoles. « C'était un départ un peu triste car j'avais construit mon monde et je devais tout quitter. »

Quand il monte dans l'avion, le 24 décembre, l'unique passagère est une jolie hôtesse de l'air en vacances. Le pilote les invite tous les deux dans le cockpit. En route vers l'est, ils voient dans une lumière incandescente le soleil se lever sur la courbure de la terre.

Balthus est décédé à 93 ans, le 18 février 2001, le jour même des 60 ans de Kuni. Comment ne pas voir dans cette coïncidence un signe de l'amitié qui les liait ? Kuni s'était rendu immédiatement en Suisse. « C'était un homme libre, proche des gens. Un grand homme simple, très paysan », m'avait-il dit en évoquant sa disparition. Pour Setsuko, Balthus était une sorte de colonne vertébrale dans la vie de Kuni : « Quand j'ai vu l'adresse mail de Kuni j'ai remarqué que c'était la date du décès de Balthus : kuni218@ (c'est-à-dire le 18 février). Il est venu pour les funérailles à Rossinière. Il avait apporté ses pinceaux et on les a jetés dans le caveau. »

## Retour à la case départ

«Je suis rentré au Japon en décembre 1966, après trois ans de séjour en France. C'était la période des fêtes du nouvel an et tout le monde s'était montré accueillant et bienveillant à mon égard.» À partir du 5 janvier, le travail a repris à l'atelier, qui comptait alors six jeunes disciples et trois employés plus âgés. Kuni avait annoncé, non sans appréhension, qu'il allait poursuivre le travail de son père. «Kakô était un travailleur acharné et j'ai pensé que travailler avec lui allait être très dur pour moi.»

Kunihiko m'avait dit avoir quitté le Japon parce qu'il était en désaccord avec le mode de fonctionnement traditionnel, quasi féodal, de l'atelier de son père. Où en était-il par rapport à cette contradiction? «Je voulais vraiment changer, devenir artiste. Lorsque Balthus m'a poussé à retourner au Japon, il n'était pas conscient de mon désir de changement. Je ne sais pas même ce qu'il a pensé de mes kimonos par la suite. »

Le passage de Balthus dans l'atelier du père en 1962 a sans doute confirmé l'idée que Balthus se faisait de Kuni. Conquis par l'art de Kakô, il n'imaginait pas Kuni ailleurs que dans l'atelier à Kyoto, et sa position de père de substitution donnait un poids particulier à ce désir. Tout semblait écrit à l'avancc, et Kuni le savait. Déçu tout d'abord de ne pas faire une carrière artistique en Europe, il avait finalement accepté sa destinée avec gentillesse et un certain enthousiasme car il pensait transformer cette déception en défi. Il avait retenu l'enseignement de Balthus, qui disait à propos de ses tableaux érotiques mettant en scène des jeunes filles dénudées : « Il faut aujourd'hui hurler très fort si on veut se faire entendre. » Son entrée sur la scène de la peinture yuzen devait se faire par un geste artistique radical et provocant. En attendant cette révolution, son père l'emmenait faire des visites de courtoisie aux grossistes de Kyoto et de Tokyo pour fêter son entrée dans la profession. Le directeur d'un magasin de gros l'invita dans un restaurant d'Akasaka, dont le gérant collectionnait les créations de son père, et fit venir des geishas parées de ses kimonos. La soirée était gaie et bien arrosée, et Kuni découvrait pour la première fois la renommée dont son père jouissait : « En voyant son style associé à l'élégance des geishas, j'ai compris qu'au-delà de l'aspect commercial les kimonos que réalisait mon père étaient avant tout l'expression d'une créativité et d'une audace de composition inimitables. Plus mon admission dans le milieu devenait officielle, plus j'étais anxieux : à vingt-six ans, je n'avais pas encore peint un seul kimono de ma vie et j'étais officiellement présenté comme le successeur de mon père. »

Au cours de ses études en France, Kuni avait acquis un sens artistique subtil et un jugement assez sûr pour comprendre qu'il lui serait à jamais impossible d'égaler son père, car ses dessins de pruniers, de cascades, de grues ou de chrysanthèmes étaient techniquement parfaits.

Kakô Moriguchi

Après la soirée à Akasaka, dans la chambre qu'ils partageaient dans une auberge, la tête sur l'oreiller, Kuni s'était risqué : « Je trouve tes créations magnifiques, mais si je suis obligé de dessiner les mêmes motifs que toi, autant arrêter tout de suite. J'aimerais savoir si prendre ta suite implique que je travaille dans le même style que toi. Autant te le dire tout de suite, je n'arriverai jamais à faire aussi bien que toi. »

Son père hésita avant de répondre : « As-tu déjà vu les œuvres de mon maître Kason Nakagawa ? Je l'ai assisté en toute sincérité tant que je travaillais pour lui mais, ensuite, quand je me suis établi à mon compte, j'ai tout changé par rapport à son style, et tu peux faire de même, c'est ton droit et c'est même ton devoir. » Son père lui a ainsi accordé la liberté totale dont il avait besoin pour développer son art en respectant la tradition.

Désormais en confiance, Kuni put exposer à son père sa vision personnelle de l'art du yuzen, dynamisée par des références à l'art optique. Il voulait faire passer le kimono du concept des deux dimensions du dessin traditionnel au kimono à trois dimensions – telle une sculpture –, quand il est porté, et à une quatrième dimension quand il est porté et en mouvement. Ce qu'il cherchait, ce n'était pas la maîtrise du dessin, mais plutôt que le kimono tout entier devienne un dessin, et une sculpture en mouvement. Une révolution dans le monde du yuzen.

En rentrant de Tokyo, il avait commencé à réaliser des esquisses au compas et à la règle dans une petite chambre contiguë à l'atelier. Il y restait de longues journées seul pour travailler. « Kakô a réuni les disciples et leur a annoncé que j'allais travailler dans l'atelier avec eux. Il leur a demandé de prendre soin de moi. » Et puis, selon la tradition, ce n'est pas le père qui enseigne au fils mais le disciple, même si c'est un jeune débutant. Le disciple avait vingt-quatre ans et déjà sept ans d'expérience ; Kuni n'avait aucune expérience. Il commença à dessiner des lignes, des formes géométriques à partir des exercices faits aux Arts-Déco, mais ne montrait ses esquisses à personne. « En fait, j'avais l'impression de les déranger. Chaque fois que je demandais quelque chose, il fallait qu'ils s'interrompent pour s'occuper de moi. Je ne voulais pas ça, mais en même temps, si je ne posais pas de question, je ne pouvais pas avancer. C'était très désagréable ; dès le départ, je me sentais comme un étranger. Le pire c'est que tout le monde me respectait. » Le disciple, qui était son assistant, attendait les ordres de Kuni, mais celui-ci ne savait pas quoi lui demander.

Kunihiko a appelé son tout premier kimono *Hikari*, ce qui signifie lumière. Il s'était inspiré de l'Op art qu'il avait étudié aux Arts décoratifs et que l'on retrouvait en France dans l'industrie

Kunihiko dans la maison-atelier familiale, 1967

de la mode et dans la haute couture. « Sans avoir beaucoup de métier pour tracer les lignes yuzen (*Itome*), je cherchais à créer mon propre univers plastique en utilisant la technique fondamentale du yuzen. Je voulais m'entraîner à tracer et en même temps expérimenter, réaliser des diminutions progressives d'éléments graphiques pour interroger la relation entre le motif et le vide. Je me suis intéressé à l'importance du vide dès le départ. »

Kimono signifie « chose portée ». C'est un vêtement en deux dimensions qui se révèle en trois dimensions dès qu'il est porté. Kuni avait tenté d'introduire cette donnée dès la conception de son premier kimono. Il avait passé des mois seul à développer son idée avec obstination, ce qui, pensait-il, était mal vu dans l'atelier. Le plus âgé des disciples de son père lui apprenait la technique, et le plus jeune l'assistait pour les questions pratiques, changer l'eau, préparer les couleurs, laver les pinceaux. « C'est parce que j'étais le fils du maître que j'ai pu avoir cette assistance. Je suis un enfant gâté. Mon père ne m'a jamais rien appris, ni dit quoi que ce soit à propos de la technique, ni même de mes kimonos. Il ne voulait rien m'enseigner, considérant qu'il suffisait de l'observer. Mais regarder ne suffit pas. Dans l'outil, pour peindre en réserve, tu mets de la pâte, mais si, au moment où tu appuies, le conduit est bouché par des grains, qu'est-ce que tu fais? Il faut les enlever et ça, tu ne peux pas l'inventer, il faut apprendre à le faire. »

Le train à grande vitesse Shinkansen était tout nouveau. C'était la première réussite technologique du Japon d'après guerre. Pour aller de Kyoto à Tokyo, habituellement le train mettait six heures trente. Avec le train rapide appelé Hikari, ça ne prenait plus que trois heures. Aussi était-il devenu le symbole de la modernité japonaise. Il n'existait pas quand Kuni avait quitté le Japon. Kuni, qui voulait que son premier kimono apporte une lumière, une modernité à la tradition, avait proposé son kimono *Hikari* au concours de Nihon Dento Kogei-Ten, une exposition nationale des métiers d'art, organisée par le ministère des Affaires culturelles et de l'Éducation. Avec le concours de NHK, *Asahi Shinbun*, et l'association des artistes artisans.

Kakô avait proposé un kimono au même concours dix ans plus tôt. Kuni voulait voir comment les membres du jury considéreraient Hikari. Allaient-ils juger que le niveau technique du yuzen était insuffisant? C'était pour lui un enjeu capital : « Je voulais voir s'ils accepteraient la nouveauté de mes motifs abstraits. Car ils étaient

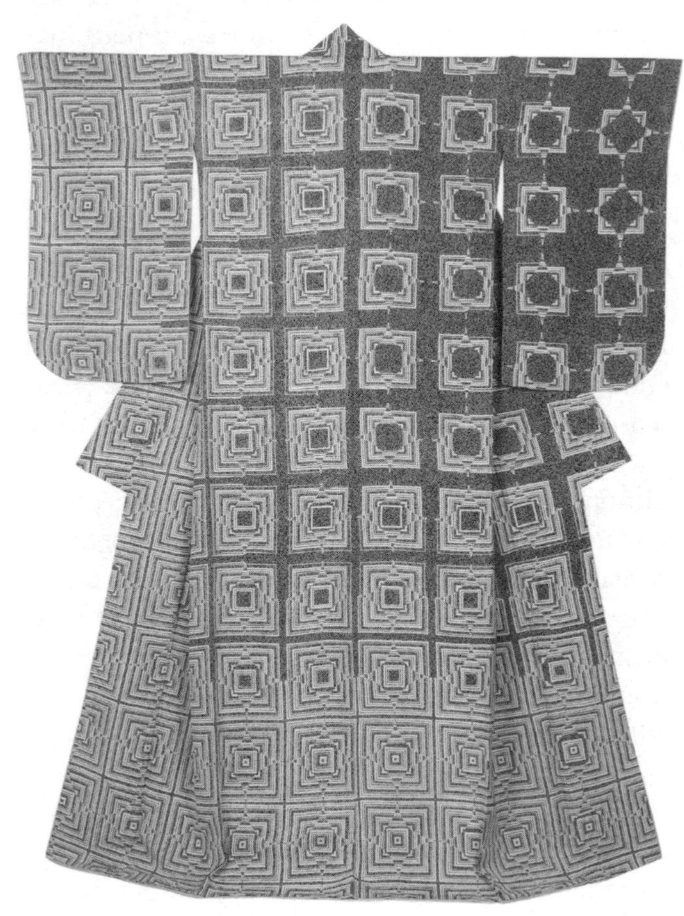

*Hikari*, 1967

en principe là pour découvrir de nouveaux talents. Quand j'ai dit à mon père que je désirais participer au concours, il m'a donné son accord. Mais tout le monde, lui y compris, doutait de l'issue. »

Le président de l'association, grand potier et historien, a dit, sans désigner nommément Hikari : « J'ai vu dans le concours quelque chose qui a un "goût de beurre". Autrement dit, quelque chose de "très européen". » Si l'utilisation du beurre est courante aujourd'hui, c'était alors un symbole de la cuisine occidentale. Kunihiko ne s'attendait pas à ce type de commentaire, il pensait que ses motifs pouvaient éventuellement évoquer des bronzes chinois préhistoriques, très rigoureux, carrés. Il avait besoin d'une liberté stylistique totale pour créer et se démarquer de son père. Ses motifs géométriques avaient été acceptés par le concours. Il lui restait maintenant à trouver sa place dans le fil de la tradition.

En 1967, il avait découvert le texte d'un historien de l'université de Kyoto qui le confortait dans sa vision de renouvellement de la tradition : « On doit conserver la tradition quand il s'agit de l'architecture ancienne des temples, mais quand il s'agit d'art, qui concerne l'esprit vivant, la tradition peut devenir très gênante. Il faut toujours se demander si la tradition est transmise comme il faut et si les résultats précédents ont bien été transmis à la génération suivante. Il faut analyser le passé pour s'assurer que l'on ne reproduit pas les choses à l'identique. »

Il se positionnait clairement contre la facilité et la pensée d'autosatisfaction qui guettent les artistes lorsqu'ils cessent de se renouveler et ne font que se répéter sans plus prendre de risque. L'association devait garantir et récompenser la liberté et l'aventure. Il estimait que les jurys des concours devaient être capables de déceler et de primer la nouveauté, autrement le système n'avait pas de sens. Après guerre, pendant les cinq premières années d'existence de l'association, les jurys avaient découvert et promu des artistes comme Kakô Moriguchi et Fukumi Shimura, qui exprimaient une très grande sensibilité par la couleur. Une dizaine d'années plus tard, le jury était en demande de quelque chose de nouveau, de frais, pour dynamiser leur institution et l'artisanat d'art.

# Keiko

Kunihiko Moriguchi avait fait la connaissance de Keiko Terada à Tokyo par l'entremise d'un ancien lutteur de sumo, ami de ses parents. Quand Kuni a vu Keiko, il a tout de suite été touché par son charme : un visage clair au sourire radieux, une distinction naturelle et une joie de vivre attachante. Il a su que c'était avec elle qu'il voulait traverser la vie. Comme rien n'était prévu pour le premier rendez-vous, la femme de l'ancien lutteur leur avait proposé d'assister à un combat de sumo. Pour les futurs mariés qui se connaissaient à peine, cela permettait d'éviter un face-à-face qui pouvait se révéler embarrassant. Ensuite, ils étaient allés dîner dans un restaurant français à Ginza. C'était une découverte pour Keiko. Il l'avait raccompagnée chez elle, au sud de la ville, si tard que le père de Keiko en a été contrarié.

Le mariage a eu lieu à Kyoto quatre mois plus tard, le 1er octobre 1975. La réception a rassemblé trois cents convives. Sur les photos prises à la réception, Kuni est vêtu d'un smoking avec nœud papillon et chemise blanche à jabot, Keiko porte un kimono à bandes rouges et obi vert, avec une coiffure en chignon haut orné de bijoux dorés et rouges. Tous deux donnent l'image d'un couple harmonieux et solide. Sur la photo de la cérémonie de mariage au temple Kamigamo, ils sont en habits traditionnels. Keiko est vêtue d'un kimono peint par Kakô, blanc avec des motifs de grue, considéré comme l'un des chefs-d'œuvre de l'artiste et coiffée d'un chapeau blanc. Kuni revêt un kimono noir de cérémonie, un pantalon plissé à bandes noir et blanc et un haori, veste noire ouverte. Ils posent dans un décor de temple shinto. Cette image consacre Kuni dans son choix d'épouser Keiko, mais également dans sa décision d'épouser les traditions de son pays à une époque où les Japonais étaient le plus souvent attirés par les modèles nord-américains et une modernité tapageuse.

L'engagement de Kunihiko dans la pratique du yuzen était total, et cela impliquait pour lui de vivre sous le toit de son père, à proximité de l'atelier. Ce choix devait être partagé par Keiko. Aussi, avant de se marier il lui demanda si elle accepterait de venir vivre chez ses parents, en lui expliquant que, ce qui était en jeu, c'était la transmission de la culture, pas seulement la technique mais bien la pensée qui la sous-tend. Elle donna son assentiment, sans peut-être imaginer les conséquences de sa décision. Deux semaines avant le mariage, elle avait déjà emménagé avec toutes ses affaires contenues dans un grand camion : armoires, livres, coiffeuse, fauteuils, vêtements.

Aujourd'hui encore, Kuni lui est reconnaissant des sacrifices qu'elle a faits en venant vivre dans la maison familiale. « J'avais besoin de vivre ici à temps plein. Car des choses pouvaient se produire le soir et je ne voulais rien manquer. C'était énorme ce qu'elle a accepté. Si je réussis dans la vie c'est grâce à sa discrétion et à sa générosité. »

Le père de Keiko était dentiste et, avant de rencontrer Kunihiko, elle l'assistait dans son cabinet. Elle n'était pas préparée à vivre dans le monde austère du yuzen, même si ses parents appartenaient à la vieille école. On ne lui avait pas appris à être maîtresse de maison, cette prérogative revenant en principe à la belle-mère. Elle était partie à l'aventure avec Kuni, guidée uniquement par la force de ses sentiments, par le respect de son engagement matrimonial et des préceptes qui s'y attachaient.

Juste avant le mariage, septembre 1975

Musée d'art moderne de Shiga, 2009

Alors que je filmais Kuni dans la maison familiale, j'ai vite compris le rôle important que Keiko jouait dans la vie et l'œuvre de son mari et, pour transcrire cette réalité, je lui ai demandé paradoxalement de raconter ses recettes face à la caméra. Il faut dire que Keiko cuisine à merveille, aussi bien les plats français que japonais. Et tandis qu'elle s'affairait, les joyeuses discussions que nous avions autour des particularités culinaires, des aspects et du goût des aliments venaient combler l'une de mes grandes curiosités à l'égard du Japon. Puisque avec Keiko nous ne partagions pas la langue, la cuisine était devenue notre terrain de communication. Elle me proposait chaque jour de nouveaux plats qu'elle annonçait à voix haute, en riant, Kuni traduisait et après avoir goûté je commentais par des expressions japonaises, toujours les mêmes « *Oishi! Oishi!* » « C'est bon », « C'est délicieux », accompagnés de grognements de satisfaction que j'avais entendus à la cérémonie du thé chez Matsushita.

Je pense sincèrement que par ses préparations Keiko faisait acte de création en écho à Kuni : aspect, consistance, couleur, multiplicité, fraîcheur, harmonie, découpe, histoire, les multiples plats ou « goûts » proposés à chaque repas offraient à l'invité privilégié et familier que j'étais une extraordinaire palette de sensations esthétiques et gustatives. Il ne s'agissait pas de manger un plat tout fait, comme j'en avais l'habitude en France mais de composer moi-même un enchaînement de saveurs, de nuances et de consistances, dans l'ordre qui me plaisait, en utilisant des baguettes avec une légère désinvolture, au fil de la discussion.

Roland Barthes évoque, dans *L'Empire des signes*, la fonction des baguettes : « La baguette – sa forme le dit assez – a une fonction déictique : elle montre la nourriture, désigne le fragment, fait exister par le geste même du choix qui est l'index [...] la baguette, désignant ce qu'elle choisit (et donc choisissant sur l'instant ceci et cela), introduit dans l'usage de la nourriture, non un ordre, mais une fantaisie et comme une paresse : en tout cas une opération intelligente, et non plus mécanique. »

Au Japon, au restaurant comme à la maison, chacun décide de ce qu'il saisit et ce qu'il veut manger, et le tout se partage puisque les convives puisent aux mêmes plats. De cette manière, on peut manger des heures durant, en bavardant, ce qui est très différent de notre manière occidentale où tout se joue autour d'un plat de résistance qui, déchiqueté avec couteau et fourchette, et absorbé en un rien de temps, laisse le convive rassasié et quelquefois hébété – en attendant le fromage.

Je filmais la vie quotidienne considérant l'atelier, la cuisine, les salons, le petit jardin composé comme un corps vivant avec ses différents organes. Tout cela participait de l'esprit de la création des Moriguchi père et fils dont je voulais rendre compte. Je filmais tout : le coulissement d'une porte laissant apparaître l'un ou l'autre, la pluie glissant sur les feuilles des plantes, le battement des stores en bambou contre la fenêtre, Keiko préparant à manger, le disciple broyant les matières pour fabriquer des couleurs. Tout cela était plus important pour moi que de connaître précisément les étapes et les techniques de fabrication du yuzen. D'autres se chargeaient d'en rendre compte. Mais surtout, je comprenais de l'intérieur pourquoi Kuni avait décidé de vivre auprès de son père, dans cette maison, en dépit des contraintes que cela pouvait représenter pour un jeune couple. L'atelier, le yuzen, c'était tout ça. Une culture qui touchait tous les aspects de la vie, une certaine façon d'être japonais.

Parmi ces micro-moments savoureux, j'avais assisté à l'une des visites à domicile d'un poissonnier habitué de la maison. Keiko le guettait sur le pas de la porte d'entrée avec son tablier qui voletait. Il était arrivé avec trois bacs de polystyrène empilés et les avait disposés par terre, devant Keiko, comme un étalage de marché. Dans les bacs, une vingtaine de filets de poissons variés bien rangés, des oursins, des crevettes crues, tout cela recouvert délicatement de feuilles en cellophane. Sans comprendre ce qui se disait, je voyais bien que le vendeur était exagérément poli envers Keiko. Celui qui a traduit leur échange a ajouté un petit commentaire personnel à mon intention : « Les deux protagonistes disent beaucoup "*Sumimasen*", ce qui signifie "Excusez-moi". Pour nous cette expression revêt plusieurs significations, par exemple merci, excusez-moi, désolé, je vous dérange. On l'utilise quand on se rabaisse, quand on veut se montrer modeste. » La traduction suivait. Le texte était parsemé de *sumimasen* comme jadis les stop ponctuaient les bribes de phrases des télégrammes. « Keiko : *Sumimasen*, entrez, je vous en prie. – Vendeur : *Sumimasen*, excusez-moi de vous déranger. – Keiko : Non non, *sumimasen*. Ça sent bon ! – Vendeur : *Sumimasen*. – Keiko : Qu'est-ce que vous me recommandez ? Hamachi (limande à queue jaune), tachiuo (ceinture d'argent), amaebi (une sorte de crevette à manger crue), vous avez de quoi faire un otsukuri (poisson très frais pour sashimi) ? – Vendeur : j'ai des oursins, des amaebi, et ce hamachi qui est déjà coupé et il m'en reste encore un non coupé au magasin. – Keiko : Je vais prendre ce hamachi pour deux personnes. – Vendeur : D'accord. *Sumimasen*, merci beaucoup. *Sumimasen.* Mille yens s'il vous plaît. – Keiko : Mille yens tout juste ? Je n'ai pas de monnaie, désolée. – Vendeur : Ce n'est pas grave. *Sumimasen.* On est fermés mercredi prochain. Oui, nous sommes désolés, merci de votre compréhension. Oui, *sumimasen*, je garde votre billet. Merci. Je vous rends la monnaie. Merci beaucoup. *Sumimasen.* Merci. Merci beaucoup pour toujours. – Keiko : Merci beaucoup. – Vendeur : *Sumimasen.* Excusez-moi de vous avoir dérangée. – Keiko : Non non. – Vendeur : Merci beaucoup, je vous demande pardon. – Keiko : Faites attention à vous. Merci beaucoup ! Après avoir fermé la porte sur lui elle se retourne vers moi avec un grand sourire et un petit soupir : C'est fini. Il est parti. Puis, en riant et en agitant les poings fermés comme un enfant impatient : On va manger, à table ! »

Je garde le souvenir également de la visite d'un fabricant artisanal de tofu. Il circulait gaiement, une petite remorque attachée à l'arrière de son vélo et longeait les rues en activant une sorte de klaxon à poire qui produisait un son plaintif à deux tons. Cet homme était jovial et heureux de vivre et ne s'excusait pas d'exister comme son collègue poissonnier. Il avait prélevé à pleine main dans des récipients en métal remplis d'eau les variétés de tofu que lui demandait Keiko :

tofu frais, tofu frit, tofu fumé. Il y avait quelque chose de sensuel à voir surgir les formes flasques, fragiles, blanches et humides. Kunihiko, qui avait entendu le klaxon, était sorti pour saluer le marchand. J'ai gardé l'image d'eux trois, au soleil, discutant autour du vélo du raffinement des tofus et de ses modes de fabrication. Nous l'avons regardé partir en zigzagant vers l'avenue Oike. Le bras levé en signe d'au revoir, il actionna la poire klaxon et je me suis dit à ce moment-là que le son de l'instrument que j'avais d'abord perçu plaintif était en réalité très gai, comme pour défier la vie.

Ces marchands ambulants que j'avais croisés il y a maintenant dix ans appartiennent à un monde traditionnel aujourd'hui disparu ou en voie de disparition.

Un soir, Kuni avait confié quelques détails sur la vie qu'il avait trouvée en rentrant et dans laquelle Keiko l'avait suivi. Il semblait lui-même impressionné d'avoir vécu cela : «À la maison en 1965, il y avait trois disciples et une salle de bains pour tout le monde. Il fallait faire chauffer l'eau du bain avec des bûches. Une seule eau pour tous. Selon un ordre bien établi le premier à se baigner était mon père, ensuite moi, ma sœur, ma mère, le 1$^{er}$, le 2$^{e}$, le 3$^{e}$ disciple et la bonne en dernier. On ne pouvait pas choisir l'heure du bain. Je vivais dans la société contemporaine moderne et je devais subir le mode de vie d'un système féodal. Keiko a elle aussi souffert de lourdes contraintes car la relation avec sa belle-mère était difficile. Elle raconte toujours qu'elle n'a jamais pu donner le bain à notre premier enfant. C'était sa belle-mère qui s'en chargeait, si bien qu'elle n'a pas pu avoir ce contact sensible qu'une mère a naturellement avec son enfant. On se serait cru dans la famille impériale. Ma femme a accepté cette situation sans jamais se plaindre, je ne pourrai jamais assez l'en remercier. »

Keiko avait donné son accord pour que je la filme mais nous ne pouvions pas nous parler. Quand on se croisait dans la maison on échangeait des signes, j'avais appris à saluer en me penchant en avant (mais au deuxième degré, en souriant pour montrer que j'étais conscient de l'imperfection de mon geste), elle se frottait les épaules en fronçant les sourcils pour me demander si j'avais froid, ou me proposait de boire un café en faisant le geste, ce genre de choses. Petit à petit, cette impossibilité de communiquer était devenue une frustration, surtout pour elle car cela venait accentuer la particularité de son histoire avec Kuni et celle de Kuni avec la France.

Kuni pouvait supporter l'univers féodal de l'atelier parce qu'il avait vécu en France et y avait développé des relations professionnelles et amicales. Il avait aussi vécu en Italie, voyagé en Grèce. Son esprit pouvait s'échapper. Keiko n'avait pas eu cette chance. Ce qu'elle m'a confié, je l'ai appris grâce à un traducteur : « Je pense que pour Kuni, qui a décidé de vivre dans la société de Kyoto au Japon, parler français était une délivrance. Il a fait ses études en France et a gardé des amis de cette époque, et d'autres rencontres se sont transformées en amitiés durables. Je n'ai pas pu entrer dans cette histoire-là parce que je ne comprends pas le français. »

Keiko est attentive aux relations de Kuni avec la France et peut-être cet ailleurs vécu par Kuni a-t-il apporté une bouffée d'oxygène dans cet univers très fermé de l'atelier familial : « Quand l'un d'eux l'appelle de France au téléphone, Kuni devient tout de suite très joyeux. Je ne comprends pas le français mais j'aime bien l'écouter, pour moi c'est comme une musique. Parfois je comprends un peu, tente de deviner qui appelle et je lui demande, “C'est untel ?”, il me répond presque toujours “Oui”. » Keiko sait combien la France lui est essentielle : « Quand il a l’air très fatigué, je l’encourage à partir à Paris. Il me dit qu’on le reçoit à bras ouverts et qu’il s’y sent bien. C’est bien qu’il y aille une fois par an pour se détendre. » Quand je lui demande si elle a pensé apprendre le français, elle répond : « Quand on s’est mariés il me l’a proposé mais je devais m’occuper de la maison avant tout. Ce n’était vraiment pas simple de vivre dans la belle-famille. »

Le prénom « Keiko » peut signifier « enfant de joie », « enfant de grâce » ou « enfant de révélation ». Ma photo préférée d’eux les représente au bord de l’eau, en plan serré. Il regarde devant lui mais son visage montre qu’il est en communion avec elle qui le regarde sur le côté avec un sourire complice. C’est une photo qui pourrait provenir d’un film inoubliable du cinéma japonais.

# Kimono

Kunihiko Moriguchi place son œuvre dans la continuité de l'histoire du kimono et du développement de la technique de teinture yuzen. C'est-à-dire dans le fil de la tradition.

Le kimono est un vêtement ample à taille unique, en forme de T, croisé devant le corps et ceint autour de la taille par une ceinture. Pour réaliser un kimono, on utilise presque invariablement douze mètres de tissu, tirés d'un rouleau de trente-sept centimètres de large, qu'on taille en huit parties de tissus qui sont alors assemblées et cousues : deux devant, deux à l'arrière et quatre pour les manches. Aujourd'hui rares sont ceux qui le portent quotidiennement au Japon. Il est réservé aux mariages, aux obsèques, à la cérémonie du thé, ou aux sorties au théâtre Nô ou Kabuki. Seuls des personnes fortunées, des musées ou des aristocrates peuvent se payer des kimonos de Kakô ou Kunihiko Moriguchi.

Le kimono a été introduit au Japon au VIIIe siècle depuis la Chine et sa forme actuelle est dérivée du *kosode*, un kimono à manches courtes en vogue au XVe siècle. Sa forme a très peu changé depuis le XIe siècle. Pendant la période Heian (794-1184), les femmes de la cour, pour se démarquer de l'influence de la Chine, portaient le *jûni-hitoe*, une tenue composée de douze kimonos superposés l'un sur l'autre de manière à afficher au niveau du col en V un dégradé de couleurs, visible également au niveau des manches. C'est à la combinaison des couleurs en relation aux saisons que l'on jugeait de l'élégance des femmes. L'époque Kamakura (1185-1333), marquée par l'ascension des militaires au pouvoir, et l'influence de la philosophie bouddhiste zen, a vu s'imposer rigueur et simplicité. Les différentes couches de kimonos ont été abandonnées au profit d'une seule, appelé *kosode*, le sous-vêtement des aristocrates. Il devint la tenue d'extérieur des samouraïs et de la cour. À l'époque Edo (1603-1868), caractérisée par la dictature militaire du shogunat Tokugawa et une embellie économique, le *kosode* se démocratise et se pare de couleurs somptueuses, les artisans inventent des motifs inédits et développent de nouvelles techniques. Des lois somptuaires sont établies

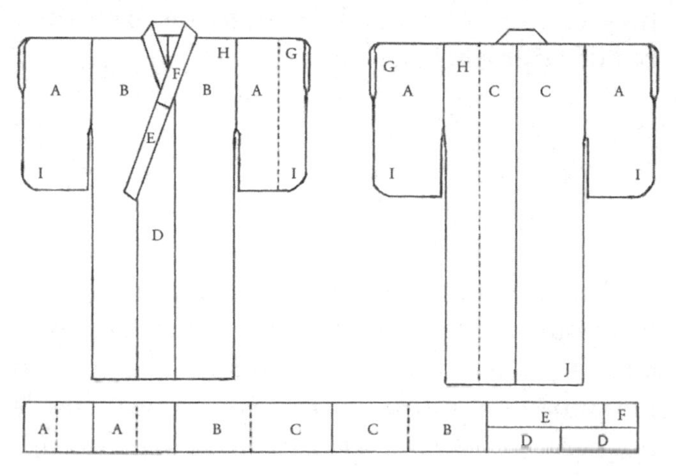


Patron d'un kimono

au début du XVIIe siècle pour tenter de maintenir par le costume une distinction sociale : la bourgeoisie ne devait pas être confondue avec l'aristocratie.

Une loi interdisait de broder ou de teindre un kimono. On pouvait traiter des détails mais pas l'ensemble du vêtement. L'usage des couleurs était limité – le rouge, par exemple – car le pigment qui servait à la fabrication était rare, donc cher.

Les bourgeois, plus riches que les seigneurs, contournaient les interdits en portant des kimonos en coton avec une doublure intérieure en soie rouge, qu'ils obtenaient à partir d'autres pigments moins chers. Le peuple, lui, ne portait pas de vêtements en soie.

Aujourd'hui, Moriguchi conçoit des kimonos pour mettre la femme en valeur. Est-il plus attentif au devant ou au dos quand il conçoit un kimono ? « Le plus important, pour moi, c'est le dos car le devant est déjà agrémenté par l'expression du visage, le maquillage, la parole. Une silhouette de dos est sans défense, on ne peut ni lui donner une expression particulière ni la faire parler. Quand on dessine l'arrière d'un kimono, on tient compte du fait qu'une partie des motifs sera cachée par le obi. Parvenir à susciter l'admiration pour une silhouette vue de dos est un défi. Mon rôle est d'embellir la silhouette des femmes vues de dos, c'est ma façon de leur témoigner mon respect. "Le devant, c'est vous, mesdames, qui vous en chargez, pour le dos, laissez-moi faire !" »

Le yuzen est une technique de teinture en réserve. Son appellation vient de Miyazaki Yuzen, peintre sur éventail, exerçant dans la deuxième moitié du XVIe siècle, alors que le Japon connaît une période de paix et d'ouverture. D'emblée les motifs de Miyazaki Yuzen ont été très appréciés du grand public. Cet engouement a favorisé l'invention de la technique yuzen, une sorte de synthèse des techniques préalables de teinture. Le *Dictionnaire historique du Japon* cite un recueil publié en 1688 intitulé *Modèles pour yuzen* en louant son esthétique : « Il respecte le style ancien et s'accorde au raffinement et à l'élégance de notre époque. Le yuzen n'est pas révolutionnaire. Il s'inscrit, à la fois par son dessin et sa technique, dans la tradition du Wayo qui remonte à l'époque de Heian. Il est en effet une teinture sur réserve, tout comme le batik. »

Moriguchi m'enseigne combien chaque époque est marquée par un style : la période Genroku (1688-1704) a vu naître les *kosode* de Kanbun. Sous les ères Bunka et Bunsei (1804-1830), se développent les courants créatifs de Kyoto ou Kamigata, peu raffinés à première vue et pourtant remarquables, qui évolueront vers le style sobre et raffiné de Tokyo. « L'univers du yuzen a toujours développé un savoir-faire à l'avant-garde de son époque, ce n'est pas un savoir-faire conventionnel. Cette tradition a pour toile de fond une “grande classe”, en d’autres termes, une dignité, une élégance, qu’il est important de préserver. » Pendant la période Edo, tout le monde fréquentait les quartiers de plaisirs comme Shimabara. Les grands bourgeois, les seigneurs s’y retrouvaient en compagnie de belles femmes. Vois-tu, me dit Moriguchi : « C’est là que le yuzen était mis en valeur et apprécié. *Tayû*, *geishas, oiran* étaient belles, très instruites, artistes, mais pour faire l’amour avec certaines il fallait dépenser énormément d’argent. Peu de gens pouvaient se le permettre. Des seigneurs y ont perdu leur fortune. C’est dans ces quartiers que tout se passait : culture, mode, poésie, musique, théâtre. Les dames de la cour se déguisaient. On voyait passer des couples homosexuels. Les XVII$^{e}$ et XVIII$^{e}$ siècles furent des périodes de grande liberté au Japon, même si le régime féodal était sévère. Le yuzen était le symbole de cette liberté, comme les estampes. Ce sont deux arts nés dans le peuple à la même période. » Période qui n’avait guère de considération pour les femmes. Il fallait qu’elles soient petites, jolies, gentilles, élégantes, instruites, soumises et qu’elles portent sur elles de belles et luxueuses tenues. Montées sur de hauts socques en bois, elles étaient en outre entravées par les kimonos et ne pouvaient avancer qu’à petits pas. La femme devenait un objet de beauté et d’amusement. Enveloppés dans le kimono, son

Oiran (courtisanes), 1920

corps et ses formes, seins, taille, hanches et fessier disparaissent pour laisser place à une silhouette asexuée qui avec la ceinture fait penser à un paquet cadeau. Selon le goût japonais, l'objet du désir est caché, alors qu'en France à la même époque les formes du corps de la femme sont accentuées, la gorge offerte au regard, la taille réduite, enserrée dans un corset et le dessin de ses hanches amplifié par la robe. Il faut lire Aude Fieschi, *Kimono d'art et de désir*, pour se plonger dans les thèmes récurrents du kimono liés le plus souvent à la nature : « Fleurs, oiseaux, lune, vent, mer, rivière, nuages, etc. Mais le décor ne traite pas les sujets par hasard, il doit toujours le faire en accord avec les saisons. Pour le printemps on aime particulièrement les fleurs de cerisier, pour l'été les motifs de vague et d'océan, les feuilles d'érable ornent les kimonos d'automne et les paysages de neige ainsi que les fleurs de prunier ceux que l'on porte en hiver [...] Mais les motifs n'ont pas seulement une valeur esthétique et sont choisis pour leur signification : le pin est symbole de longévité, le bambou, que fait ployer la tempête mais qui ne rompt pas, évoque l'âme de l'homme aux prises avec les difficultés de la vie. Accompagné de moineaux ou de tigres, le bambou devient symbole du bonheur. L'aigle exprime la force et décore les kimonos des garçons, la grue comme synonyme de chance et de longévité est associée au nouvel an. »

Pendant l'ère Edo les marchands avaient conçu avec l'aide des artisans des livres de modèles de motifs comportant toutes sortes de précisions sur la couleur et le traitement de la peinture. L'usage du yuzen a aussi révélé des artisans-artistes – comme Kakô et Kunihiko Moriguchi – qui ont poussé leur art jusqu'à l'excellence et se sont préoccupés avant tout de concevoir des vêtements élégants dont la beauté, par le jeu des couleurs, des lignes et la symbolique des motifs évoque des sensations trop subtiles pour être exprimées. Cette beauté touche à des aspects de la philosophie japonaise, le caractère éphémère du monde naturel, la perception de notre précarité en ce monde.

*Un cœur de mortel*
*Est léger comme tunique*
*Teinte à l'éphémère.*
*L'habit a peu de tenue*
*Mais son bleu pâle en a-t-il?*

Sakon, *Songe d'une nuit de printemps*

Des colorants artificiels sont introduits au Japon au début de l'ère Meiji, ce qui donne un nouvel essor au yuzen. Le maître teinturier Hirose Jisuke (1822-1896) adapte le pochoir à la technique du yuzen, permettant la production des kimonos en série. Le yuzen fait à la main continue néanmoins d'exister comme produit haut de gamme ou œuvre d'art. Le pochoir était utilisé manuellement, non mécaniquement. Les clients commandaient sur catalogue et recevaient leur kimono au bout de trois mois alors qu'une pièce originale nécessitait au moins un an de travail. Selon Moriguchi, la différence entre les deux kimonos est subtile. Les artisans qui faisaient les kimonos uniques éprouvaient le besoin de se démarquer en se renouvelant. Ils étaient en quelque sorte contraints d'innover en permanence.

Moriguchi se définit comme un héritier direct de l'histoire ancienne du yuzen. « Ma mission, c'est de créer et de renouveler ce monde comme au début du yuzen où les artistes étaient libres. Même s'ils étaient limités par l'utilisation de la couleur puisqu'il n'y avait pas la couleur chimique, ils cherchaient quelque chose de nouveau. Je me sens en compétition avec les artisans historiques, mais pas avec les artisans contemporains. »

# Père fils

Heihichiro Moriguchi est né en 1909 à Moriyama dans la province de Shiga. Ses parents, propriétaires terriens, tenaient un commerce de riz dans la région, mais la récession économique provoquée par la crise bancaire américaine de 1907 avait plongé le Japon dans une grave crise. Les famines de 1913 et 1914 qui s'en suivirent achevèrent de ruiner la famille et Kakô fut recueilli par un oncle pharmacien. Il aimait dessiner et utilisait le dos des affichettes publicitaires comme support. Son oncle, pour l'encourager, exposa ses premiers essais dans la boutique. Heihichiro avait une quinzaine d'années lorsque le peintre yuzen Kason Nakamura remarqua son talent et le prit comme apprenti dans son atelier pendant une douzaine d'années. Kakô est un nom d'artiste donné par son maître Kason afin de propager sa pensée. Il parlait avec émotion de cette époque où sa famille se démenait dans de graves difficultés, et il avait confié à Kuni : « La seule chose qu'on ne pourra jamais me voler c'est un savoir-faire. » C'est ce qui l'avait décidé à approfondir la technique, mais, ayant toujours regretté de ne pas avoir fait d'études, il a encouragé ses deux fils à en faire.

Kuni admirait son père et la manière dont il avait su innover. Alors que, habituellement, les peintres répétaient les mêmes motifs sur toute la surface du tissu, Kakô développait un seul motif : arbre, branche, plume, vague. Il utilisait des thèmes traditionnels mais les revisitait en leur donnant une puissance particulière. S'il peignait un prunier en fleur, ou des animaux, comme le canard mandarin, ou la grue – son thème préféré – il s'amusait à bouleverser les usages par un choix de couleurs inédites : le canard mandarin, un sujet gai et joyeux, serait traité en noir dans un climat d'inquiétude. « Il savait marier deux choses qui sont à l'opposé et le résultat était fabuleux », s'émerveille Kuni. Le trait de Kakô était vif et tendu, il donnait l'impression d'un mouvement dynamique qui coïncidait avec l'essence même de l'élément représenté. Il avait en outre remis à la mode une ancienne technique appelée makinori, dont l'effet moucheté singularisait ses kimonos. Cette technique était devenue sa marque de fabrique.

L'art de Kakô a été reconnu et largement récompensé jusqu'à la fin de sa vie. En 1955, il avait reçu le grand prix de la première exposition avec des « Trésors nationaux intangibles (Nihon-Dento-Kogei-Ten) », organisée par l'État. Il a peint des kimonos pour des membres de la famille impériale, dont celui porté par l'impératrice à l'occasion du voyage de la reine d'Angleterre en 1975.

Pour Kunihiko, son père incarne un artiste admirable incontestablement, peut-être aussi une figure inhibante. Comment exister dans une maison où toute la vie est centrée autour de ce père qui réussit ? Il est désigné Trésor national vivant, la plus haute distinction pour un artiste artisan, l'année où Kuni revient au Japon. Quelle place le jeune Kuni pouvait-il imaginer avoir auprès de lui ? Peut-être faut-il voir là une des raisons de son désir d'éloignement de la maison familiale et de son voyage en France ?

Œuvre de Kakô Moriguchi, 1959

En 2009, je me trouvais à Tokyo pour réaliser un documentaire sur les jeunes marginaux japonais. Moriguchi préparait une grande exposition dans laquelle étaient présentés en même temps les kimonos de son père et les siens. La disparition de Kakô l'année précédente avait précipité mon projet de tournage initialement prévu en 2011. Je voulais filmer l'accrochage et le vernissage car cette exposition, unique, se déroulait dans un moment de la vie où Kunihiko était susceptible d'aborder la question de la transmission d'une manière émotionnelle et positive.

Le musée d'Art moderne était situé à Shiga, près du lac Biwa. À l'intérieur du bâtiment, des vitrines en verre couraient sur toute la hauteur des murs. Au centre, des employés en bleu de travail (en gris, à vrai dire!) et gants blancs ouvraient des caisses en bois avec grande précaution pour en extraire de longues boîtes en carton. Le conservateur du musée et son assistante intervenaient pour déballer les kimonos, écartant méthodiquement l'emballage de tissus ou de papier blanc. Leurs gestes pour les saisir, les déployer, me laissaient penser qu'ils attribuaient à ces œuvres une valeur inestimable. C'était la première fois que je voyais un kimono peint à la main de si près. Ce qui m'a d'abord frappé c'est la consistance du tissu, qui paraissait dense et lourd. Ensuite, c'est la puissance des couleurs et le raffinement du dessin.

Les soixante kimonos, de taille identique, furent déployés sur des portants de manière à exposer au mieux les motifs peints, puis disposés devant les vitrines à l'emplacement qui leur était destiné. Kuni s'était planté au milieu de la salle pour considérer l'effet produit par l'enfilade des kimonos sur leurs portants, ceux de son père et les siens en vis-à-vis, comme des silhouettes humaines. Et puis il avait dit comme s'il s'adressait à lui-même : « Bon, mon père n'a pas pu voir ça… Dommage ! » Et, voyant que j'avais entendu il a enchaîné : « À côté de ceux-là – il montre les kimonos de Kakô – on dirait que c'est vraiment un petit bébé qui a fait ça – il montre un de ses kimonos –. Mais un petit bébé qui a beaucoup de volonté, c'est une lutte entre un homme adulte et un petit bébé. Je ne sais pas si mon père comprenait ce que je faisais. Mais en tout cas j'ai fait une chose que mon père ne pouvait pas faire. »

Kakô avait débuté à l'âge de quinze ans et Kuni à vingt-six ans. Jusqu'à vingt-cinq ans les muscles évoluent et grandissent ; après tout décline. Certains mouvements sont entravés ; les mains, les épaules se fatiguent plus vite. Seule l'expérience peut apporter une autre intelligence mais pour l'apprentissage technique du métier, passé un certain âge il n'y a plus de progrès possible.

Kuni était plus optimiste pour tout ce qui concernait l'inspiration et le choix des motifs, son œuvre pouvait être comparée à celle de son père. « Tous les deux nous avons eu des inspirations d'hommes qui adorent, qui respectent, qui aiment la femme. C'est une autre façon d'aimer la femme qu'on exprime chacun à sa manière, et qui supporte la comparaison parce qu'on est complètement différents. »

J'avais du mal à m'imaginer travaillant des années avec mon père dans un même espace, comme Kunihiko l'avait fait. Cela n'aurait pas marché. De la même manière que Kuni était allé chercher en France un ailleurs où il pourrait se révéler, j'étais moi aussi, au même âge que Kuni, étudiant en art parti en Haïti pour découvrir un autre monde, que je pensais plus authentique que mon pays qui me semblait sclérosé. J'avais du mal à comprendre comment Kuni avait pu tourner le dos à la France qu'il avait choisie, dans laquelle il avait acquis un métier et vécu des rencontres avec des gens exceptionnels, pour finalement retrouver les contraintes de cette maison familiale qu'il avait fuie.

Il s'était engagé dans ce nouveau métier comme on entre en religion. Il s'isolait du mode de vie contemporain pour être en communion avec le mode de vie traditionnel qui n'avait pas bougé depuis peut-être deux siècles. Kuni m'expliquait que c'était la garantie de l'authenticité de la pratique du métier. La transmission d'une culture, d'une génération à l'autre, doit se faire dans la maison, lieu de vie et lieu de travail. « Il y a quelquc chose qu'on peut transmettre de cette manière de génération en génération et qui n'est pas une chose dont on peut réellement discuter. Ce que l'on transmet, c'est une sorte de philosophie de la vie et de la mort, parce que nous sommes en train de mourir tout en étant en train de vivre [...] J'ai toujours été animé par le souci de respecter l'édifice que mon père avait bâti et de ne lui causer aucune inquiétude. Ce respect et cette forme d'amour filial typiquement japonais ne font qu'un avec ma préoccupation de développer mon originalité propre en tant que créateur : mon univers résulte de cette symbiose. Si l'on comprend cela, je me sentirai comblé. »

Le vernissage de l'exposition ne s'était pas déroulé comme je l'avais imaginé. La manière japonaise est différente de ce que l'on connaît en Europe. Une présentation eut lieu devant le public. Conservateur, commissaire et Kunihiko se sont succédé au micro. Un arc de cercle d'un rayon d'une vingtaine de mètres s'était formé avec les invités autour des orateurs dans le vaste hall d'accueil du musée. Un dispositif que l'on jugerait en Occident un peu trop formel. Je m'étais amusé à faire des photos de cette assistance un peu endimanchée et respectueuse de la parole officielle. Mais lorsque Kuni a pris la parole, j'ai tout de suite vu son émotion : « C'est grâce à l'exposition de l'artisanat traditionnel (Nihon-Dento-Kogei-Ten) qui a fait découvrir au monde le talent de mon père, ainsi que le mien, que nous sommes devenus ce que nous sommes aujourd'hui. Mon père et moi accordons une importance particulière à la tradition. Il y a deux ou trois choses qui me tiennent à cœur : le plus important est ce que la tradition nous enseigne. Savez-vous ce que veut dire le mot "dignité" en français, ou "*dignity*" en anglais ? C'est de cet ordre-là. J'estime qu'il est de mon devoir de préserver la dignité de la tradition. C'est le devoir pour tous ceux qui travaillent dans ce domaine. Ma première préoccupation est de savoir comment je peux préserver et perpétuer cette dignité. Le savoir-faire de l'artisanat japonais a été importé principalement de Chine ou de Corée. Le yuzen est un artisanat dynamique qui a su affirmer son style en évoluant avec la société. Perpétuer la tradition du yuzen, c'est évoluer et faire évoluer le style yuzen avec l'air du temps. Voilà ma deuxième préoccupation. La troisième est que je dois perpétuer la technique du makinori, l'une des techniques du yuzen. Mon père a consacré plus de quinze ans de sa carrière à l'étudier, à l'approfondir et à se l'approprier. Ma conception du makinori est différente de celle de mon père et c'est à moi aujourd'hui qu'il incombe de réfléchir à d'autres possibilités. Je m'efforce de transmettre l'art du yuzen et pour cela je dois considérer tous ces éléments qui sont parfois spirituels et parfois matériels. »

En fin d'après-midi, Kunihiko et Keiko s'étaient présentés à l'entrée de l'exposition selon le protocole pour accueillir les invités. Kuni était vêtu d'un costume et d'une cravate sombres, avec sur le cœur une belle fleur rouge faite en ruban. À ses côtés Keiko, les cheveux relevés en chignon, portait un kimono d'un beau vert intense. Pendant un long moment, comme de jeunes mariés, tous deux ont salué les invités qui faisaient la queue en silence à l'extérieur de la salle. Pour chacun, même bref, ils avaient un mot.

Les quelques photos du père et du fils ensemble ne permettent pas d'imaginer leur relation. Ils sont parfois côte à côte, mais pas ensemble. Kuni appréciait le travail de son père mais que pensait ce dernier du travail de Kuni ?

« J'attendais que mon père apprécie ce que je faisais mais en même temps je le refusais. Quand j'ai vu à quel point il était virtuose je me suis dit non, je ne peux pas me confronter à lui, je retourne en France. J'avais été tellement bien là-bas que de temps en temps je me sentais étranger ici je l'avoue. Une fois j'ai même songé à quitter le Japon. En revenant j'avais perdu toute la liberté que j'avais acquise en France. Très habilement, pour m'encourager, mon père m'a dit "Pourquoi ne deviens-tu pas la génération de peintre yuzen d'après Kakô, tu seras la génération Kunihiko !" Après mes premiers kimonos, j'ai commencé à voir dans le travail de mon père une sorte de reflet de mon travail. Je me sentais accepté par lui. Il n'a jamais critiqué ce que je faisais, mais il a répondu à mon travail par son travail. Je crois qu'on a mis dix ans pour se comprendre. Entre père et fils on ne parlait pas, il fallait que ça se fasse tout seul. Et j'étais très heureux de voir que je l'ai un peu influencé, mais je n'ai pas osé

À la maison, 1960

À l'hôtel Okura à Tokyo, 1988

le dire. Il ne m'a jamais rien dit sur mes kimonos. Même si on était jour et nuit ensemble. Pour mon premier prix il était membre du jury. Il aimait entendre ce que les gens pensaient de moi mais il ne m'a jamais dit directement ce que lui pensait. C'est comme ça entre nous. Il me laissait le critiquer. Il acceptait ce que je lui disais. On a commencé à parler franchement au bout de dix ans. Il était prêt à accepter ce que je lui disais et il corrigeait tout de suite en faisant un autre dessin et me demandait ce que j'en pensais. »

Kakô ne faisait jamais de commentaires sur les kimonos de Kuni mais, lorsqu'il sentait qu'il manquait quelque chose à ses dessins, il lui demandait de compléter ses esquisses. Pour une œuvre il pouvait faire cinq ou six esquisses. Il savait que son fils admirait son talent et, au terme d'une création, tous deux partageaient une même joie.

Dans *Sables mouvants* (1984), Kuni s'était concentré sur les motifs de spirales afin qu'ils s'animent, une fois le kimono porté. Kakô créa, selon le même principe, un kimono paré de branches de prunier partant de la base du col et se rétrécissant au fur et à mesure qu'elles descendaient. « En imitant une de mes compositions, il me signifiait que j'avançais dans la bonne direction. J'en ai été très heureux et en ai retiré une confiance accrue dans ma propre voie. »

Dans le catalogue de l'exposition de la Maison de la culture du Japon à Paris, Germain Viatte a noté l'influence exercée par Kakô sur Kuni avec son kimono *Automne* (1964), qui donne à voir une multitude de gouttes en mouvement. Le kimono est noir et blanc avec de discrètes touches de jaune semblables à des reflets lumineux. Kuni aurait réinterprété ce motif avec son kimono *Premières neiges* de 1986. L'influence de Kakô est subtile, intériorisée. Kuni m'a raconté comment ces flocons de neige s'étaient imposés : « De passage à Kanazama, un soir il a commencé à neiger. Ce n'était pas une neige tournoyante poétique. Ce que je voyais par la fenêtre et qui est resté gravé dans ma mémoire, c'étaient des lignes de neige à 45° et je suis parti de là. La partie réservée est la même que celle qui ne l'est pas, avec des angles semblables aux marches d'un escalier. C'était bleu au début et c'est devenu gris et noir. Cela crée un effet de profondeur. »

Faut-il considérer ce savoir-faire éblouissant comme un artisanat ou comme un art, au sens où nous l'entendons en Occident ?

« Toute sa vie, mon père s'est considéré comme un artisan. Il a même refusé de confier une pièce à une exposition qui présentait officiellement les artisans comme des artistes. Il n'a pas été éduqué pour être un artiste, son éducation il l'a faite par l'apprentissage et il tenait à ce statut. Mais la perception des métiers d'art a changé et il est devenu un artiste, un très grand artiste, reconnu. Pour ma part, dès le début je voulais faire de l'art, pas de l'artisanat. La différence ? En tant qu'artisan vous devez être capables de recopier n'importe quel motif à l'identique et de manière parfaite. Alors que l'artiste, lui, ne peut pas répéter les choses. Est-ce que la société était sensible à ce changement de catégorie dans le métier du yuzen ? C'était nécessaire pour la société moderne que des artistes prolongent l'histoire du yuzen avec une force nouvelle. Mais est-ce que la société sera toujours prête à soutenir un tel mouvement ? »

Kakô Moriguchi, 1964

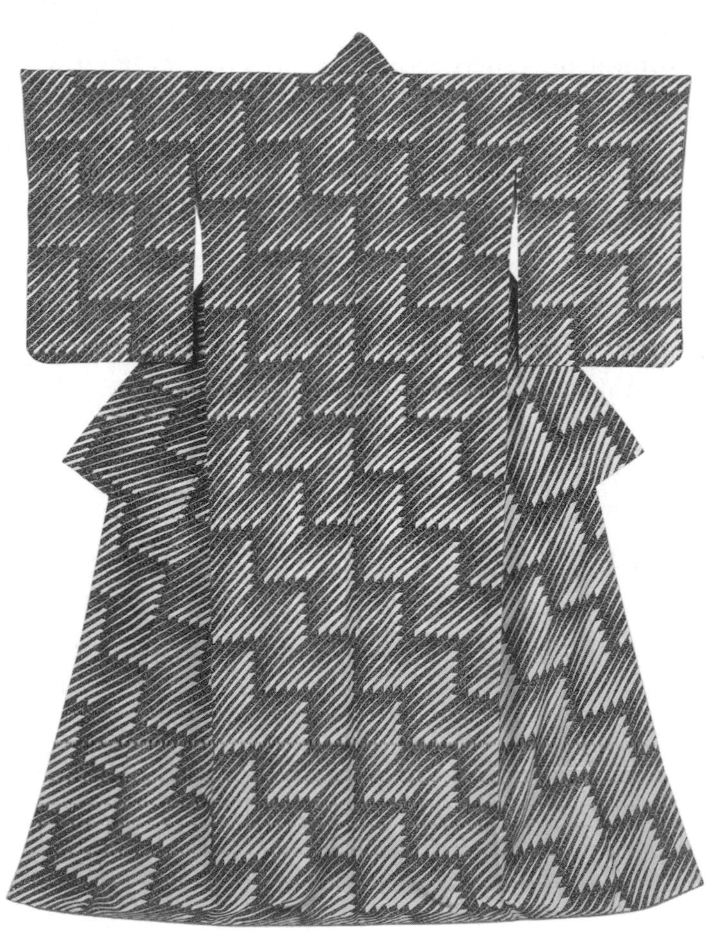

Kunihiko Moriguchi, *Première neige*, 1986

Anglais, Américains, Danois, et Suisses ont exposé les œuvres de Moriguchi qu'ils considèrent comme des objets artistiques alors que les Français continuent à les voir comme des objets artisanaux. « Je crois que ce n'est plus la question de l'art et de l'artisanat. Avec mon père, on avait discuté de ça, pour lui cette discussion est superflue, c'est l'objet lui-même qui parle, et qui dit si c'est de l'art ou de l'artisanat. "Je n'aime pas ce genre de discussion farfelue, intellectuelle", disait mon père. »

Kakô a eu une attaque cérébrale en 1987 qui a laissé des séquelles. Pour récupérer l'usage de sa main droite partiellement paralysée, il a dû entreprendre une rééducation qui n'était pas évidente, vu son âge avancé (93 ans). Kunihiko assistait jour après jour au déclin de son père dont il avait partagé la vie, nuit et jour pendant soixante ans. Pour le remercier de ce qu'il lui avait transmis il décida de lui sacrifier les dix dernières années de sa vie de créateur en l'assistant dans la réalisation de ses œuvres. Kakô a terminé son dernier kimono en 2003. Il fut présenté à la 50e exposition des Arts traditionnels l'année suivante.

« Je pense qu'il n'avait pas l'intention d'arrêter, même après cette exposition. Mais, physiquement, il pouvait à peine travailler. Nous l'avons aidé dans son travail mais très en retrait afin de respecter l'identité de l'œuvre. Mon père s'était fait opérer de la cataracte mais, en le regardant travailler sur cette dernière œuvre, j'ai compris qu'il était temps pour lui de s'arrêter. Quand j'ai abordé le sujet, il se disait indigne du titre de patrimoine culturel immatériel s'il s'arrêtait. Mais il ne pouvait plus ignorer la fatigue. Je me rappelle qu'il a été soulagé quand je lui ai dit que son titre de patrimoine culturel immatériel resterait pour toujours dans la mémoire de tout le monde. C'était un homme qui avait un sens du devoir très développé. Il souffrait énormément de ne plus pouvoir créer malgré sa volonté ».

En revenant en voiture à Kyoto, la nuit après le vernissage, nous bavardions et commentions les réactions du public et des journalistes présents mais les pensées de Kuni revenaient vers son père. Revoir ses kimonos lui avait rappelé des souvenirs et il s'était laissé envahir par une nostalgie qu'il s'évertuait à garder positive. « Entre mon père et moi, qui étions ensemble chaque jour dans ce petit atelier, il y avait une sorte de tension assez agréable. Pour lui peut-être et pour moi certainement, cette tension était nécessaire pour que je puisse aller plus loin dans mon univers. Mais malheureusement il est décédé l'année dernière au mois de février et depuis – ça fait plus d'un an – j'ai perdu cette tension, et je ne peux pas être un cerf-volant sans fil, mon fil doit être rattaché à la terre. Il faut aussi que je vole tout seul et que j'aie de l'air autour de moi. Maintenant je suis seul. C'est une autre aventure qui commence. »

## L'art de Moriguchi

Les kimonos d'apparat de Moriguchi sont des pièces uniques. Les motifs, d'inspiration géométrique, peuvent, par un jeu entre premier et arrière plan, ou par le mouvement quand il est porté, provoquer des effets visuels. Son art est une synthèse entre une technique tricentenaire et une expression moderne. « Le côté traditionnel et le côté moderne cohabitent en moi, mais c'est une tension entre deux forces. Quand on était enfants, on fabriquait des téléphones avec un fil tendu entre deux boîtes de carton. J'ai l'impression que, dans mon corps, tradition et modernité sont en tension comme pouvait l'être ce jouet. Ma vie elle-même est en tension : si les fils ne sont pas assez tendus, aucune communication ne se fait. Il faut que ça soit toujours en tension pour que ça fonctionne. »

Tomyo Moriguchi, la belle-fille de Kunihiko

Les kimonos de Moriguchi s'adressent aux femmes, ce sont elles qui l'inspirent : « Les hommes ne me surprennent pas alors que les femmes sont des surprises continuelles dans ma vie. » À ses yeux, c'est une profession idéale pour rendre hommage à la beauté les femmes.

Quand il s'est lancé dans l'aventure du yuzen, il a cherché à libérer le corps des femmes car les kimonos qu'il voyait à travers l'histoire du kimono étaient merveilleux mais alourdissaient la silhouette. « On avait coutume de regarder le kimono sur un présentoir, comme un tableau. J'ai essayé de faire des kimonos qui soient beaux comme des tableaux mais qui, une fois portés, associent le mouvement au motif et révèlent la beauté du corps humain. »

Néanmoins c'est un vêtement, une parure, réservé à une certaine aristocratie. L'histoire du yuzen a pour toile de fond une classe sociale, une élégance qu'il est important de préserver. « On est tous esclaves de quelque chose et moi on me dit que je suis esclave de la beauté des femmes », confesse Kuni en riant.

La sensibilité et la motivation de la création s'ancrent dans la vie, dans l'observation et la connaissance de la nature : « J'adorais les animaux dans ma jeunesse et les merveilleux dessins qui les habillent. Tous les êtres vivants, sauf l'homme, sont ornés de motifs. Pourquoi pas nous qui faisons partie de la nature ? De ce questionnement est née ma vocation de créer des motifs, par le biais des kimonos, qui leur correspondent, tout comme les rayures noires et jaunes correspondent au tigre ou noires et blanches au zèbre. »

L'écrivaine Judith Thurman qui connait Kuni de longue date lui a consacré un remarquable article dans *The New Yorker* en 2005. Elle observe que ses œuvres sont inspirées par les principes paysagistes bouddhistes : « Ce sont des représentations abstraites de sable, neige, rayon de lune, un lit de rivière, une falaise fleurie, ou un champ labouré. *Aube* est une composition verticale de trapèzes blancs sur fond turquoise. *Ténèbres* a la beauté sombre d'un jardin de gravier ratissé. Ses récents kimonos sont agrémentés de cercles aléatoires, de triangles en dents de scie, ou de zigzags gris pastel. Un motif de filaments argentés sur un ciel pointilliste semble faire l'éloge des célèbres ponts suspendus japonais. »

Esquisse

Kunihiko Moriguchi

La couleur est un élément important dans la création de Kuni, même si quelquefois il a cherché à s'en affranchir en proposant des œuvres radicales en noir et blanc. Enfant, il se souvient avoir eu une attirance pour le vert foncé. Pourquoi ? Il n'en a aucune idée. C'est une couleur mystérieuse, difficile à fabriquer, instable, variant du bleu au jaune, elle est aujourd'hui encore impossible à obtenir en teinture végétale.

Les couleurs utilisées par Kuni proviennent majoritairement d'éléments naturels : de l'indigo, de la cochenille, de la poudre de coquillages, de la peau d'oignons ou de minéraux écrasés. Le blanc traditionnel est obtenu en broyant des coquilles d'huîtres et en y ajoutant de l'eau.

Les influences artistiques de Kuni pour ce qui est des motifs géométriques viennent de l'Op art, découvert aux Arts-Déco, et plus précisément de Victor Vasarely et de l'artiste peintre britannique, Bridget Riley, qui décline des formes produisant des illusions d'optique. Par exemple, dans sa peinture noir et blanc, *Movement in Squares* (1961), la perception de figures géométriques ordonnées est troublée par la modification de ces formes, qui génère une impression de mouvement.

Lors d'une interminable discussion – de celles que j'adore partager avec Kuni –, je lui ai demandé qui étaient ses maîtres. À ma grande surprise, avant l'influence occidentale, ou un goût immodéré pour la géométrie ou les mathématiques, c'est la nature qui l'inspire, ordre générateur d'harmonie et de diversité : les arbres à feuillage persistant, les arbres à feuilles caduques, les animaux amphibies, ceux qui volent, les mammifères. Et pour mieux faire comprendre sa démarche, il a évoqué les jardiniers de la fondation Matsushita : « Il y a un ordre dans la nature et le jardinier s'y associe. Comment faire pousser les arbres, les émonder sans détruire la nature tout en essayant de la rendre encore plus belle ? » C'est une question de rythme et d'ordre avait-il conclu : « Je fais la même chose que le jardinier. » La démarche est de puiser dans la nature, de s'en inspirer pour en extraire l'âme et la recomposer selon des schémas géométriques. Ainsi en a-t-il été de *Senka* (*Mille Fleurs*, 1969) l'une des œuvres qui marquent un tournant dans la création de Kuni. La composition repose sur des figures d'hexagones reliées entre elles par des zigzags. Le point de départ est le motif séculaire hexagonal des coupoles des mosquées arabes. « Tout en respectant la structure, j'ai eu l'idée de couper en deux la forme et d'utiliser l'équivalent d'un motif traditionnel japonais de clé, à 90°. J'ai enlevé des éléments et continué à recopier la figure. Je cherchais des vides que je voulais utiliser comme des fleurs, avec un dégradé de blanc de zinc, symbole du yuzen moderne. En alternant de larges blancs et des blancs plus minces, j'ai vu que le dessin commençait à bouger, puis à flotter, le fond à devenir plus important et l'hexagone à disparaître, tout en se transformant en hélice à trois branches. J'avais suivi un développement logique et, à un moment, j'ai cassé cette logique volontairement. Le vide est devenu la forme. Une fois libéré de cette base géométrique j'ai obtenu une liberté, tout en gardant la rigueur dc la géométrie. Voilà ma façon de procéder. »

Kuni expérimentait ainsi une éthique de l'objet japonais prônant le respect du matériau et de son caractère intrinsèque – je l'avais vu à la cérémonie du thé avec les bols anciens. Introduire l'illusion d'optique de l'inversion de la forme plein-vide permettait de mettre en évidence le caractère noble du matériau du kimono, de la soie blanche qui ne brille pas mais dont la lumière irradie de l'intérieur. Le tissu n'est pas peint et donc on peut en apprécier les qualités. Les parties blanches opaques, peintes à côté, contrastent avec le blanc natif du tissu et le jeu visuel accentue encore la blancheur.

L’actrice Maki Tamaru lors du lancement de la collection « Liberty London et Kunihiko Moriguchi », Tokyo, 2017

Si Kuni est aujourd'hui au cœur de la vie moderne c'est parce qu'il a su comprendre le cœur de la vie traditionnelle. « Je vois aujourd'hui une sorte de cohabitation entre la modernité et la tradition, je suis juste au milieu. Mon mode d'expression est très moderne, même si la fabrication d'un kimono reste traditionnelle. Dans l'avenir, je vois s'accentuer le clivage même encadré par des normes, le métier risque d'aller vers un mouvement conservateur où la création a tout à perdre. Si on n'accepte pas la créativité dans ce travail et qu'on se limite à l'artisanat, le savoir-faire va devenir une sorte de folklore. Il faut que quelque chose survive pour un jour renaître. Que ce soit la cérémonie du thé, l'arrangement des fleurs, des sports comme le kendo, tout change et se transforme en devenant international. Une fois qu'on prend conscience de ça, on ne peut plus revenir en arrière sans penser aux conséquences, donc il faut suivre cette voie. C'est un moment très dangereux qu'on est en train de vivre. Je ne sais pas si j'ai été utile comme Balthus l'espérait, mais j'ai fait des efforts dans ce sens-là, sans hésiter à vivre à l'intérieur de moi la confrontation entre modernité et tradition. »

De la même manière qu'il avait su mener une double vie à Paris, partagé entre une activité modeste d'étudiant étranger et un univers mondain, intellectuel et artistique, il avait su partager sa vie d'artiste entre l'univers artisanal ancestral de son père et le monde de l'art contemporain en France en exposant dans des galeries de renom. Ses kimonos figurent aujourd'hui dans les collections de prestigieux musées comme le Metropolitan Museum de New York, le musée d'Art de Los Angeles, et plusieurs musées londoniens (British Museum, Victoria Museum et Albert Museum). Il transcende par son exigence l'artisanat en art.

Dans ses œuvres sur papier, il applique la méthode du yuzen pour développer des réflexions d'ordre métaphysique. En 1986, la galerie Jeanne Bucher à Paris expose « Réflexions mathématiques sur la pureté de l'eau de source », un ensemble de trente peintures sur papier japonais, bleu cobalt et blanc. Des lignes fines horizontales, parallèles et discontinues, rythment la surface. En arrière-plan, dans une autre dimension, apparaissent des formes géométriques, carrés, losanges, rectangles. Les sensations premières, ainsi contredites par la découverte des nouvelles formes, donnent accès à une perception de l'infini. Non sans humour,

*Senka*, 1969

*Fructuations*, 2013

il précise son intention dans la préface du catalogue : « En joignant la peinture traditionnelle à l'eau sur papier et la technique de la peinture sur soie, je voudrais que ce que je fais corresponde à la pureté de l'eau de source, toujours débordante, toujours renouvelée… Je me demande parfois à quoi sert de se donner tant de mal. À rien, sinon à justifier son existence en faisant l'effort de dépasser, en les alliant, les techniques traditionnelles japonaises et la réflexion mathématique. Justifier son existence, cela veut dire tenter d'arriver à une certaine perfection. Il s'agit d'une morale, d'une éthique. »

Ce que l'un des commentaires de l'exposition disait autrement : « Le dialogue avec la nature m'implique dans ma propre nature ».

La technique traditionnelle est naturelle, à commencer par le papier fabriqué à partir de tiges de koso dont les fibres ont été lavées dans l'eau glacée de la montagne de Fukui. Nature et spiritualité agissent alors en synergie.

En 2013, Moriguchi a voulu faire une synthèse de ses recherches en mariant hexagones et carrés, et une utilisation subtile des dégradés. « Ne vous amusez pas trop », lui avait dit un critique. « Il voulait dire : Ne montrez pas trop votre habileté. Mais je me suis quand même amusé. Je cherche toujours à avoir un premier plan et un plan arrière sur lequel le regard doit s'arrêter. » Le titre, *Fructifications* (minori), a été choisi par Moriguchi car la pièce terminée lui faisait penser à l'image de fruits mûrs faisant ployer les branches d'un arbre. Le kimono a été acheté par le magasin Mitsukochi, maison japonaise fondée il y a plus de 360 ans, et qui est depuis cette époque le royaume du kimono, fournissant notamment la famille impériale. Mitsukochi a demandé à Moriguchi de renouveler le design des *shopping bags* en papier du magasin et il a choisi un motif tiré de *Fructifications* dans le cadre du programme Transmissions croisées. Les ateliers de la Manufacture de Sèvres en France lui ont également proposé de faire le design graphique d'un service de tasses à café et il a pour cela décliné à nouveau le motif de *Fructifications*. Se fondant sur l'identité de Sèvres, il a su magnifier le blanc de la porcelaine avec la même subtilité que le blanc immaculé de la soie dans ses kimonos. Le motif a été ajusté de telle sorte que le vide soit aussi important que le dessin, le vide devenant lui-même un motif, la composition pouvant évoquer la dualité taoïste du yin et du yang. Mais surtout : plus de cinquante ans après avoir quitté les Arts-Déco, Moriguchi retrouvait Paris et sa vocation contrariée de *graphic designer*.

# Trésor vivant

Un beau matin d'hiver, frais et lumineux, Monsieur Tokuda de la Fondation Matsushita était arrivé chez Kuni, accompagné de deux collaborateurs. Il venait restituer un kimono, présenté à la fondation dans le cadre d'une exposition consacrée à des œuvres de Trésors vivants. Nous étions assis sur des coussins, jambes croisées, dans la pièce de réception contiguë à la rue. Au sol, des tatamis, une table basse et, près de la porte coulissante faite de bois et papier, un portant pour kimonos en bois laqué. Après avoir parlé de tout et de rien en consommant gâteaux et thé, la conversation vint sur ma présence d'homme-caméra dans la vie de Kunihiko Moriguchi, Trésor national vivant. Je filmais cette discussion sans comprendre ce qui se disait et je n'ai découvert la traduction qu'à mon retour en France, deux mois plus tard.

« M. Tokuda : Ça ne doit pas être facile de vivre en étant filmés constamment. – Kuni : Je vais essayer de m'organiser pour que ça ne soit pas ainsi tous les jours. – M. Tokuda, étonné : La caméra est en permanence là ? – Keiko avec un sourire : On est tout le temps suivi par la caméra. – M. Tokuda, essayant de se mettre à leur place : Une enquête rapprochée ! – Keiko pouffe de rire : Bientôt la caméra va nous suivre pour la promenade du chien. – Puis, plus sérieusement après un silence, M. Tokuda reprend : Les étrangers ont des regards différents sur notre patrimoine. Ils peuvent peut-être nous faire découvrir un autre aspect que les Japonais ignorent. – Kuni, lucide : Les étrangers savent apprécier notre culture, même s'il y a des malentendus. Mais je ne suis même pas sûr que les Japonais soient capables de bien comprendre notre métier. – M. Tokuda : Les Japonais pensent qu'il est difficile de s'entretenir avec les Trésors vivants. Je leur dis que les maîtres sont très ouverts et qu'ils prennent le temps nécessaire pour répondre à nos questions stupides, mais pour la plupart des gens, vous vivez dans un monde à part. On n'ose pas venir vous rencontrer car vous possédez des talents artistiques exceptionnels et vous occupez une position sociale très élevée. Les gens ont peur de ne pas être à la hauteur face à un Trésor vivant. Mais je sais que ce n'est qu'un préjugé et je trouve, maître Moriguchi, que vous vous montrez aussi simple que nous dans une conversation de tous les jours. »

Une amie à qui je racontais cela m'avait dit en souriant que les Japonais adoraient avoir peur et qu'ils aimaient considérer ces monuments humains comme impressionnants et inaccessibles.

La désignation de Trésor national vivant est unique au monde. Elle trouve son origine au début de l'ère Meiji (1868), qui a vu le Japon s'ouvrir aux échanges internationaux et au développement économique sur le modèle occidental. Les dirigeants japonais étaient alors soucieux de préserver leur culture traditionnelle qu'ils sentaient menacée par les contacts avec le monde occidental et ils ont voulu protéger et promouvoir leur culture, au même titre que la modernité naissante. La notion de Trésor vivant apparaît pour la première fois en 1897 dans la loi de protection des sanctuaires et temples anciens. Parallèlement, en France, en 1887 apparaît la notion de classement et de protection de monuments historiques. Au Japon, dès 1929, une nouvelle législation étend la protection des biens culturels publics à celle des biens privés, afin de restreindre leur destruction ou leur exportation. C'est après la Seconde Guerre mondiale, pendant l'occupation américaine, sous l'influence d'historiens américains et d'un orientaliste français d'origine russe, Serge Elisseeff, que fut créée une loi pour protéger plus largement l'ensemble du patrimoine culturel japonais. Cette loi a instauré le concept de culture tangible (les paysages, les jardins, les temples) et celui de culture intangible (le théâtre classique, la musique et les métiers d'art traditionnel). Elle a permis une protection de tous les arts, y compris ceux considérés comme mineurs au début du siècle. Pour encourager les jeunes à pratiquer ces métiers et développer une économie de l'artisanat, le pays a commencé à partir de 1954 à organiser des expositions d'œuvres d'art appliqués traditionnels sélectionnées par un concours.

Au Japon, une centaine de personnes sont désignées par l'État « Trésor national vivant », ou artistes officiellement reconnus comme « Détenteurs de Biens culturels intangibles importants », dans tous les arts, tels la céramique, les poupées, les épées, la poterie, les textiles, le travail du bois… mais aussi les arts vivants comme le Nô, le Kabuki et le Bunraku. Les titulaires reçoivent de l'État chaque année une subvention de deux millions de yens, (soit dix-sept mille euros) pour créer selon les savoir-faire traditionnels mais aussi pour former des disciples afin d'assurer une continuité technique et artistique.

Kakô Moriguchi a été désigné Trésor national vivant en 1967. Le comité d'attribution était formé de conservateurs en chef régionaux, descendants d'anciens seigneurs, d'historiens de l'art et du directeur du musée de Tokyo, en tout une dizaine de personnes, incluant M. Yukio Yashiro, historien d'art spécialiste de Botticelli, disciple de Bernard Berenson. Dix ans auparavant, Kakô avait fait l'objet d'une première enquête et le comité ne lui avait pas donné le titre car son maître était encore vivant. Après l'annonce de la désignation de Kakô, journalistes et télévisions se sont présentés à la maison pour savoir qui était ce nouveau Trésor vivant. C'était une fête, bouquets de fleurs, félicitations, réception au ministère à Tokyo pour la remise du certificat. Kakô et son épouse ont été honorés de toutes parts y compris par le couple impérial qui les a reçus pour un thé au palais, comme le veut l'usage. Kuni : « L'empereur est le symbole de l'unité du peuple japonais. Notre artisanat d'art est l'une des identités de l'unité du Japon. »

Kunihiko chez lui, 2011

Kuni s'était mis spontanément à son service pour l'aider, recherchant documents officiels et photos demandés par la presse : « C'est comme ça que j'ai vraiment découvert ses kimonos et la progression de son œuvre. Je me suis chargé de remettre de l'ordre dans ses archives, devenant ainsi son secrétaire le plus attentionné, rassuré de savoir qu'il pouvait pendant ce temps continuer à travailler. » Par la suite, Kuni a guidé son père pour qu'il soit le Trésor vivant idéal, le plus représentatif, un des meilleurs du Japon. Il a patiemment, délicatement, accompagné son père sur la voie d'une plus grande exigence artistique.

Lorsque Kuni a été nommé à son tour en 2007 Trésor national vivant, son père était encore en vie mais ils ne pouvaient malheureusement plus communiquer. La famille Moriguchi était un cas unique. La distinction peut être donnée à un père et à son fils, après le décès du père, dans l'idée de la transmission d'un savoir-faire. Mais honorer le père et le fils de leur vivant c'était reconnaître le caractère exceptionnel de leurs œuvres dans leurs différences tout en pointant la réussite d'une transmission.

Pourtant, quand il a reçu le coup de téléphone lui demandant s'il acceptait de devenir Trésor vivant, Kuni a eu besoin de temps pour réfléchir. Il avait peur de perdre sa liberté et se souvenait que le grand potier Kanjirô Kawai avait refusé l'offre ainsi que tous les honneurs officiels. Kanjirô ne signait pas ses pièces, convaincu que l'art était au-dessus de l'individu. L'autre inquiétude était d'être observé, guetté par les médias, les collègues, les citoyens : « Si tu te trompes, tu es jugé et critiqué. D'autant plus que nous sommes subventionnés. »

J'ai rencontré Kitamura Takeshi, ami de Moriguchi, Trésor national vivant pour la haute technique du tissage (ra et tatenishiki). Lui aussi me disait la complexité de cette situation, c'est une valeur suprême irréprochable et le titulaire se doit, en tant que personne, d'être parfait. « Les gens ont le sentiment que les Trésors vivants sont des sortes de super-héros qui savent tout faire et ils sont constamment observés et jugés sur leur comportement si bien qu'ils ont le sentiment que l'aspect social prime sur l'aspect artistique. »

Kunihiko Moriguchi a désormais une responsabilité à la fois individuelle et collective pour sa famille, son métier et l'identité de son pays. Il ne peut s'y dérober ; sa vie et son honneur sont en jeu. Il fait partie de l'association nationale des artisans Nihon-Kogei-Kai, où chaque Trésor vivant transmet ses connaissances du métier à d'autres Trésors vivants. Les discussions sont franches et tout peut être librement abordé. Il est porteur d'une tradition qui depuis trois siècles a su se renouveller. Il a exprimé son appartenance au monde contemporain en utilisant aussi bien des cocons de vers à soie du Brésil, des teintures chimiques, que des motifs issus d'une recherche optique et mathématique, plutôt que de s'enfermer dans une répétition aveugle de la tradition. C'est là sa liberté.

Lors du tournage, j'avais demandé à Kuni s'il pensait que ses enfants allaient prendre le relais : ses deux fils ont fait des études ; l'aîné a eu la chance d'entrer à l'université à Southampton aux États-Unis et d'étudier le dessin par ordinateur, le cinéma, la musique mais il n'a pas encore trouvé sa voie. Kuni m'a expliqué que la transmission de la tradition dans la famille ne devait pas être imposée, c'était à chaque génération de décider. Son rôle à lui était de les attendre, et de leur donner la possibilité de le faire, et, s'il le pouvait, de les aider sans rien dire, comme l'avait fait son père. Mais il sentait que le mode de vie traditionnel n'intéressait plus les jeunes dans ce monde globalisé et que l'identité même des Japonais en était menacée.

Pendant que l'aîné était aux États-Unis, le fils cadet a travaillé dans l'atelier avec le disciple. La deuxième année son frère aîné était revenu des États-Unis s'installer à la maison. Le cadet a cessé le travail sur tissu et s'est mis sur l'ordinateur pour aider son père dans le fonctionnement de l'atelier. L'aîné, qui avait des connaissances en graphisme, a fait quelques tentatives de création puis a abandonné. Me revient l'image de ce fils aîné travaillant à quelques mètres de Kuni. Le père était concentré, rapide, précis dans ses gestes. Le fils portait des écouteurs et ses mouvements, lents et un peu hésitants me semblaient guidés par la musique plus que par la nécessité de la création.

Kuni, comme son père après la guerre, a traversé des temps de grande pauvreté. Une partie de l'économie régionale dépendait des manufactures artisanales d'art, ce qui engendrait une concurrence entre les artisans. Aujourd'hui, de plus en plus d'objets qui étaient fabriqués manuellement le sont à l'étranger et importés, faisant chuter le prix de vente des objets de l'artisanat nippon ainsi que la qualité de sa production. Face à cette situation, le gouvernement tente de sauvegarder le savoir-faire. Mais le travail artisanal traditionnel n'est plus rentable. Sauf peut-être s'il s'agit d'une maison qui existe depuis des générations.

Kitamura n'avait pas eu la chance de Moriguchi. Il n'avait pas été au bout de sa scolarité, mais avait été contraint de travailler très tôt pour aider sa famille. Il arrive aujourd'hui à la conclusion que le chemin tracé par les ancêtres n'offre plus vraiment de perspectives : « Je travaillais sans réfléchir, pendant des jours, des mois, et les mains et le corps apprenaient les gestes et la maîtrise. J'étais entouré de techniciens et de confrères plus expérimentés et j'ai pu les observer afin de saisir leurs astuces et leurs secrets. Je devais faire des efforts mais j'ai appris en les imitant. C'est un environnement qui nous formait. Actuellement, même si les jeunes souhaitent apprendre un savoir-faire, il n'existe plus d'environnement adéquat. »

La vie moderne semble incompatible avec l'apprentissage traditionnel et l'esprit d'une transmission de maître à disciple. Ceux qui suivent des études supérieures ont aujourd'hui un point de vue sur les choses et donnent volontiers leur avis sur les conditions de travail, les choix artistiques avant d'avoir une connaissance approfondic de la technique. La société de consommation leur a apporté le goût du confort et du plaisir et la création manuelle se situe pour eux plus du côté de l'art que de l'artisanat. « Au début c'était ton art que tu devais transmettre, maintenant c'est devenu la technique d'un savoir-faire. L'idée d'un maître n'existe pas », conclut Moriguchi.

« Pas de jalons, pas de mesure dans l'excessive distance. Rien n'est devant moi, rien ne sera après moi : je suis. » Quand je repense à cette phrase de Gaëtan Picon que Kuni aime citer, je l'imagine dans son excellence et dans sa solitude d'artiste, un peu à la manière de Balthus, l'un des derniers survivants d'un monde en voie de disparition.

# La pureté de l'eau

Le 11 mars 2011, je me trouvais avec Kunihiko lorsqu'un violent tremblement de terre suivi d'un tsunami a ravagé la région de Fukushima, frappé la centrale nucléaire, déclenchant une catastrophe qui continue à ce jour d'inquiéter le monde. Les jours qui ont suivi, nous étions sous le choc, découvrant ensemble à la télévision, heure par heure, les ravages irrémédiables et le nombre grandissant des victimes. Les images de la vague noire emportant bateaux et voitures comme des bouchons de liège entre les maisons, balayant tous les obstacles à l'intérieur des terres sont encore inscrites dans nos mémoires. Nous avons eu peur et même envisagé de partir tous ensemble, d'aller vers le sud du Japon ou même à l'étranger. Puis soudain Kunihiko a dit, comme une évidence, en s'adressant à Keiko : « Je ne peux pas partir. Partir signifie abandonner notre maison. Et comment savoir quand nous pourrons revenir à Kyoto ? Je veux vivre avec eux, je veux mourir avec tous les Japonais s'il le faut. Je ne peux pas les laisser. »

Je lui ai dit que je trouvais louable son sens personnel de la responsabilité collective mais que nous, Français, dans un cas pareil, notre premier réflexe aurait été de fuir. Dans ce moment si particulier il s'était senti plus japonais que français : « Plus je vous connais, plus je vous aime, plus je me sens différent de vous les Français. Je ne me sens pas très loin. Juste différent. Vous vivez dans une dualité : bon et mauvais, vieux et jeune. Nous, quand nous parlons de l'âge, nous acceptons d'être vieux. Ce que nous n'acceptons pas c'est d'être contre la nature. Bien que la nature soit très dure avec nous, nous l'aimons. Nous sommes ravagés par les tremblements de terre, les volcans, les tempêtes, mais c'est l'ordre des choses. On doit tirer une leçon de la catastrophe sans cela on serait obligés de dire que tous ces gens sont morts pour rien. »

L'impermanence est un sentiment essentiel au Japon : « L'eau coule dans la rivière, comme la vie. Elle change tout le temps mais l'eau existe, la rivière existe et même si elles se ressemblent, les vagues ne sont jamais les mêmes. On accepte cette impermanence et on va chercher la permanence dans le métier, dans le travail, dans la perfection de notre action. » Pour illustrer cette idée de permanence dans le savoir-faire, Kuni aimait citer pour exemple le grand sanctuaire shinto d'Ise, rebâti à l'identique tous les vingt ans. Dédié à la divinité ancestrale Amaterasu, la première construction de ce temple remonte à la fin du VIIe siècle. Périodiquement, l'ancestral est ramené au présent. Le rituel de la reconstruction apparaît comme une négation du passage du temps, contrairement à l'Occident où le monument est conçu pour durer le plus longtemps possible, tel quel, et ainsi devient un vestige du passé qui nous rappelle les civilisations précédentes. Transmettre une tradition au Japon, c'est transmettre l'héritage par lequel le passé se survit dans le présent.

Pour reconstruire un temple d'Ise on réserve deux places à proximité l'une de l'autre et au bout de quinze ans on prépare la nouvelle base puis cinq ans après on construit exactement le même édifice avec un bois nouveau. Trois générations de charpentiers se sont succédé. Quand les travaux sont finis, on détruit l'ancien temple et les parties encore en bon état sont récupérées et offertes. Tous les vingt ans, on fabrique à nouveau tous les outils de la construction, même si, depuis quelques années, on conserve certains de ces outils. Avant on les enfouissait dans la terre, on les oubliait et on transmettait le savoir-faire. Après la guerre, à cause des bombardements, le bois était devenu rare. Seule une montagne appartenant à la famille impériale pouvait offrir de grands arbres réguliers. Mais comme le transport du bois était très cher, ils ont planté des arbres autour des temples et entretenu cette forêt. C'est unique au monde, une culture vivante.

Quelques jours plus tard, nous nous trouvions dans le petit jardin intérieur à regarder le mince filet d'eau coulant d'un bec en bambou dans la vasque de pierre ancienne pleine à ras bord. Kuni était appuyé sur le montant de bois délavé du patio : « La tradition, pour moi, c'est comme la pureté de l'eau de source. Il faut toujours qu'il y ait une eau qui descende dans l'eau pure. Quand c'est sale, ça déborde. Et la pureté est toujours gardée. Et moi, je suis l'une des gouttes, dans l'Histoire. Je conçois comme ça la tradition. »

La résonance de ces quelques mots spontanés, graves, appelait à la contemplation. Ensemble, nous avons regardé pendant un temps indéfinissable le soleil à travers les feuilles du petit prunier. Elles dessinaient sur les marches en ardoise polie de fragiles taches de lumière et d'ombre mouvantes et aléatoires au gré du vent.

# Remerciements

À la mémoire de Pierre-André Picon, grâce à qui j'ai rencontré Kunihiko Moriguchi, son « frère japonais ».

Je remercie chaleureusement Setsuko Klossowska de Rola, Jean-Philippe Lenclos, Francis Metzler, Martine Picon, Judith Thurman, Germain Viatte et Philippe Weisbecker, ainsi que Corinne Atlan, Charlotte Fouchet-Ishii, Yuko Hitomi, Takeshi Kitamura, Sumiko Oe Gottini, la famille Perrin, Yoshihito Tokuda, Michel Wasserman.

Avec le soutien du Centre national du livre, de la Villa Kujoyama, de l'Institut français du Japon et de la Fondation Bettencourt-Schueller.

Avec la participation de la Fondation pour l'Étude de la Langue et de la Civilisation japonaises, sous l'égide de la Fondation de France.

# Crédits photographiques

Les photographies pages 17, 97, 136, 139 et 156 sont de l'auteur.

Les photographies pages 13, 24, 35, 40, 43, 51, 57, 82, 85, 88, 94, 107, 110, 118, 126, 130, 131, 146 et 147 proviennent des archives familiales des Moriguchi.

Les photographies pages 69, 71 et 77 sont de Jean-Philippe Lenclos.

Page 143 : L'actrice Maki Tamaru participe au lancement de la collection « Liberty London et Moriguchi Kunihiko » à Tokyo, Japon, le 25 octobre 2017 © Jun Sato/WireImage/Getty Images.

## Collection *La rencontre*

Serge Airoldi, *Rose Hanoï, Rencontres avec la couleur*, 2017
(prix Henri de Régnier de l'Académie française 2017)

Dominique Barbéris, *Un dimanche à Ville-d'Avray*, 2019
(deuxième sélection du prix Goncourt 2019,
finaliste du prix Femina 2019)

Antoine Billot, *L'Année prochaine à New York, Dylan avant Dylan*, 2017

Philippe Bonnin, *Katsura et ses jardins, un mythe de l'architecture japonaise*, 2019

Collectif, *La littérature est une rencontre*, 2016

Michel Crépu, *Beckett, 29 juillet 1982, 11 h 30*, 2019

Christian Doumet, *L'Évanouissement du témoin*, 2019

Hervé Dumez, *Incertain Paul Valéry*, 2016

Élisabeth Foch-Eyssette, *On ne peut pas toujours voyager mais on ne peut pas toujours rester au même endroit*, 2018

Stéphane Lambert,
*Avant Godot*, 2016
(prix Roland de Jouvenel de l'Académie française 2017)
*Fraternelle Mélancolie, Melville et Hawthorne*, 2018
*Visions de Goya, L'éclat dans le désastre*, 2019
(prix Malraux 2019)

Brice Matthieussent, *Les Jours noirs*, 2019

Akira Mizubayashi, *Dans les eaux profondes, Le bain japonais*, 2018

Gérard Macé, *Le Navire Arthur et autres essais*, 2020

Sébastien Ortiz, *Dans un temple Zen, Rencontre avec Guillaume Apollinaire*, 2017

Benjamin Pelletier, *Les Années discrètes, Territoires de l'enfance*, 2018

Marc Petitjean, *Le Cœur, Frida Kahlo à Paris*, 2018

Olivier Rasimi, *Cocteau sur le rivage*, 2019

Patrick Roegiers, *Éloge du génie, Vilhelm Hammershøi, Glenn Gould, Thomas Bernhard*, 2019

Gemma Salem, *Où sont ceux que ton cœur aime*, 2019

Olivier Schefer,
*Un seul souvenir*, 2016
*Une tache d'encre*, 2017
*Conversations silencieuses, L'art, la beauté et le chagrin*, 2019

Bruno Smolarz, *Giorgio Morandi, les jours et les heures*, 2016

Natacha Wolinski, *Son éclat seul me reste*, 2020

ACHEVÉ D'IMPRIMER
DEVANT UN BOL DE THÉ VERT
EN FÉVRIER 2020
SUR LES PRESSES DE
CORLET IMPRIMEUR
À CONDÉ-EN-NORMANDIE
CALVADOS

Numéro d'édition : 1213
Numéro d'impression : 20020031
Dépôt légal : mars 2020
*Imprimé en France*